講談社文庫

ボクの妻と結婚してください。

樋口卓治

講談社

ボクの妻と結婚してください。　目次

ボクの妻と
結婚してください。

第一章　妻になんて言おう

9月25日　余命あと181日

秋の特番まっさかりの頃、僕は病院の診察室にいた。
すい臓ガン。現代の医学で見積もると、残りの命は約6ヵ月だという。
入院したとしても、延命は1年程度。余命を番組に例えると残り2クール。
放送作家・三《み》村《むら》修治《しゅうじ》、45年の人生は、番組だとあと24回で打ち切りになるのだ。

僕は放送作家をして22年になる。担当はすべてバラエティ番組で、「ためになる」というよりは「楽しい」部類のものが多い。

そんな放送作家の仕事を、僕はこんな風に定義している。

『世の中の出来事を好奇心で「楽しい」に変換する仕事』と。


病院を出た時、携帯電話が鳴った。プロデューサーの業田《ごうだ》からだ。

「もしもし、三村先生。明日、打ち合わせできないかな？」

業田が、名前の後に先生と付けるのは、急なお願いの時か、ギャラを値切る時だ。

「午前中なら、なんとかなるけど、どうしたの？」

「いやー、参っちゃってさ。今日、編成局長に呼び出されちゃってさ、下手すると『ハツラツTV』が打ち切りになるかもしれないのよ」

ついさっき、自分の人生の打ち切りを宣言されたばっかりなのに、今度は、自分の担当する番組が打ち切りになるかもしれないのだ。

「なんとか新企画を考えて、延命したいんだ」

「わ、わかった、必ず行くよ」

地下鉄の駅に続く並木道を歩く。木々は少しずつ装いを変え、秋が夏を追い抜こうとしている。

僕はいつものように、会議や台本書きを済ませ家路についた。

そして、今日一日、頭の中で、あることばかりを考えていた。

それは『妻になんて言おう』だった。


僕には家族がいる。結婚して15年になる妻・彩子《あやこ》38歳と息子・陽一郎《よういちろう》10歳だ。

仕事が忙しく、家庭をこれでもかというくらい顧《かえり》みない夫なのに、頭をよぎるのは『妻になんて言おう』ってことだけだった。

妻と息子を残して、6ヵ月後には旅立たなくてはならない。あまりにも急すぎる。

この状況を「楽しい」に変換し、気軽に死んでいくのは難しそうだ。

きっと妻のことだから、病気のことを告げると、勝手に自分のせいだと思って、僕より重い荷物を背負うだろう。

そんな妻に余命6ヵ月をなんとか楽しく伝えられないものか。楽しくは無理だとしても、さらりと……、いや、違う、柔らかく……、さりげなく……、どれもしっくりこない。

仮に死ぬまでに何かしておきたいとしたら、一本でいい、妻を心の底から楽しませる番組を作りたい。いつも妻がニコニコしながら観ているのは、なぜか他人の作った番組ばかりだからだ。

でも、待てよ……。その場合、今から企画を通し、番組を作らなければならない。死んだ後に放送されて、視聴率が悪いなんてことになったら死んでも死にきれない。

考えがまとまらないまま帰宅すると、いつも通り家族は寝ていた。

『全部、夢だったりして』翌日、そんな期待を込めて目を覚ました。でも、昨日起きたことはリアルだった。財布の中に病院の領収書が入っていた。

よし。まずは締め切りを過ぎている台本を仕上げ、タイミングを見計らって妻に話をしよう。

仕事部屋で台本を書いていると、ドアが開く音がした。

「冷蔵庫のハンバーグ、食べたの修治でしょ」

振り返ると犯人の家に踏み込んだ刑事のように、妻がドアの前で仁王立ちしていた。

仕事机にケチャップの跡が付いた皿がある。ここは、とぼけるしかない。

「これ朝ご飯じゃなかったの」

「違う。陽一郎の遠足のお弁当」妻は呆れた顔で言った。

「なーんだ、てっきり……」その先が出てこない。

「てっきり何？　あのさ、ラップの上に〝お弁当〟って付箋《ふせん》も貼ってあったよね」と追い詰められる。

僕は鳩《はと》のように首を傾《かし》げるしかなかった。

「毎日、朝方帰って来て、起きたらアッと言う間に出掛けるくせに。朝ご飯なんて家で食べたことないでしょ。我が家は母子家庭みたいなものなんだから」

妻は嫌味をフレーバーのようにまぶして告げると、さっさと去っていった。

「ちょっと！　ドア、開けっ放し」と誰もいない廊下に言い返す。ディレクターは多少、台本が遅れても怒ったりしないのに……。

こんな時は仕事に集中するに限る。この時期、テレビ界は特番だけではなく、新番組の準備も山場を迎えている。早く台本を書き上げて会議に行かなくては。

台本をメールで送り、リビングに行くと、妻はすました顔で洗い物をしていた。

食卓にラップをした小皿があった。小さく握ったおにぎりが2個載っている。『あまったから食べていいよ』と付箋が貼ってある。

あまりにも平和な日常だ。余命のことを告げるタイミングがどこにもない。とりあえず、僕はおにぎりをほおばりながら支度をして、出掛けることにした。

「いってきま〜す」

「いってらっしゃい」

いつもの笑顔で送り出してくれた。なんでも引っ張らないところが妻の凄いところだ。

僕は地下鉄に揺られながら、考えていた。

さっきは、どう考えても言い出す雰囲気ではなかった。息子のハンバーグを食べて叱られた後に、余命6ヵ月という話は温度差がありすぎる。圧倒的に平和な我が家に、あまりにもそぐわない話題だ。不幸な話が入る隙なんてあるのか。大喧嘩でもして、「あなたなんて死ねばいいのよ」と言われたら、「最近、ガンになっちゃってさ」と言えたりするんだが。

気がついたら優先席に座っていた。

駅に着き、携帯電話を見ると、留守電が何件も入っていた。どれも担当医からの、入院の日取りを決めましょうという連絡だった。

とにかく早く妻に伝えなくては何も進まない。

テレビ局に着くと、スタッフが忙しそうに走り回っていた。改編期とあってロビーには新番組や新ドラマのポスターが飾られていた。僕が担当する番組もあった。でも、今日最初の仕事は、打ち切り寸前の番組の会議からだ。自分の人生の打ち切りも近づいているのに、番組の心配をしなければならないなんて。

「三村さん、どうしたんですか？　そんな死にそうな顔しちゃって」エレベーターを待っていると編成局の寺川《てらかわ》が話しかけてきた。

「わかるの？」

「死にそう……なんですか？」

「ここんところ死にそうなくらい忙しいから」慌てて言い直す。

「健康には気をつけてくださいよ。そうだ、今度、正月企画の相談があるので時間もらえますか」

もう誰かにあげる時間なんてないんだよな。僕は恨めしそうな顔で寺川を見つめた。

会議室に行くと、プロデューサーの業田とチーフディレクターの藤江《ふじえ》、そしてAD福月《ふくづき》が待っていた。

「ごめん、ごめん、急にお呼びたてしちゃって」

業田、藤江とは10年以上の付き合いだ。

「三村さん、お茶でいいですか」とADの福月が言うと、すかさず業田が口を挟む。

「お忙しい三村先生に時間作ってもらったんだから、バカラのグラスでお出ししろ」

「いいよ、紙コップで」会議室に着くなり、いじられる。こんなコントのようなやりとりが今日は妙に嬉しく思えた。

バラエティ番組の会議は困難すら「楽しい」に変換して何かを生みだす会議である。

ADたちが用意する会議の必需品といえば、視聴率表、数冊の雑誌（これはパラパラめくりながら何かを思いつくためのもの）、ペットボトルのお茶、コーヒーポット、紙コップ、A4のメモ用紙と鉛筆。これがあれば十分だ。

「さてと、始めますか。電話でも話したけど、『ハツラツTV』が死にそう。ちっともハツラツじゃない！　いくら司会が天下の三幸《さんこう》師匠でも、どうにもならない。この秋で新企画を当てないと春で終わってしまうんです」

死にそうとか終わるとか、業田の言葉にいちいちドキッとする。

「ハツラツTV」は毎週日曜19時に放送されている、国民的スター、俵屋《たわらや》三幸の冠番組だ。この秋で20年目を迎える。

僕にとってこの番組は初めてのレギュラーで、テレビ作りのイロハを教えてもらった。笑いには「フリとオチ」があるってことや、視聴者をワクワクさせることが大事ってこと、日常に笑いは転がっているってこと。これが、かけがえのない糧《かて》になっている。

「ハツラツＴＶ」には、どの番組よりも視聴率を取っていた黄金時代もあった。なかでも忘れもしない出来事がある。

たまたま放送直前に健康ランドにいたことがあった。休憩所は家族連れやカップルで溢《あふ》れていた。１００台ほど並んでいるリクライニングチェアには小型テレビが付いている。誰もが寝そべりながらテレビを観ていた。オンエアの時間がやってきた。19時の時報と共に、感動的なことが起きた。

なんとすべてのテレビに映し出されたのは「ハツラツＴＶ」だったのだ。思わず、その光景に見とれていた。三幸師匠が話す度、笑いが起きる。日曜の夜、家族たちはこんな楽しい顔をしてテレビを楽しんでいるのか。お茶の間を透視しているような不思議な体験だった。

「もう新企画を当てるしかないわけよ。番組が余命６ヵ月を宣告されたようなもんですわ」ADの福月はホワイトボードに「余命6ヵ月」と書いた。

「あのさ、なんでもかんでも書けばいいってもんじゃねーんだぞ。余命6ヵ月って、後から見返しても、なんのことかわかんねーだろ」

なんでもとりあえず書いてしまうADの板書あるあるである。

あと6ヵ月か……。多分、この番組の行く末を見届けることはできないが、全力で新企画を生み出そう。

沈黙が流れた。重い空気を変えようと業田が口を開いた。

「実際のところ、何をやれば当たるかね？　裏の番組が『やられた！』って地団駄《じだんだ》踏むような企画がいいんだよなーっ。あー、有名になりてーっ！　有名になってテレビマン全員に尊敬されてー」

ADの福月は「有名に〜」と板書しかけたが慌てて消した。これは傲慢《ごうまん》なプロデューサーのわがままな発言に聞こえるが、実は業田の演出である。「今、どんな企画が必要か」ということを気分で表しているのだ。番組の状況から考えると月並みな企画では視聴者は見向きもしない。だから、あえて企画のレベルを雑談風に伝えているのである。演出はここから始まっている。

「夕飯時に家族が笑い転げるような企画にしたいな」しみじみと業田が言った。

雰囲気を盛り上げるため藤江もかぶせた。「思わずお茶碗《ちゃわん》とお箸《はし》を持つ手が震えるくらい笑わせたいですね」

業田が演じてみせた。

「こんな感じか。母さん、もう可笑《おか》しくて、ご飯が食べられないよ」

すかさず藤江が乗ってきた。

「お父さん、私も可笑しくて里芋がつかめないわ」

いい大人がそんな会話で大笑いしている。

「つーか、あんたたち、まだ独身じゃん」

「えっ、一家《いっか》団欒《だんらん》ってこんな感じじゃないの」

「てっきり、そうだと思ってました」

そんなやりとりで会議の温度は上がっていく。漫才のような掛け合いが続く。業田のモットーは、どんなに数字が悪くても会議だけは明るく、である。

「そもそもさ、司会は天下の三幸師匠だよ。あんな太陽みたいなスターがいるんだぜ。三幸師匠ってどんな出演者も輝かせるんだよね。みんな、あのお日様みたいな存在に照らされると面白いこと言い出すんだよ」

「まるで光合成みたいですね」いいタイミングで藤江が合いの手をいれた。

「いいね。それ書いておいて」

光合成か……どんな相手も輝かせる三幸師匠の芸風にピッタリの言葉だ。しかし、ホワイトボードに書いてあるのは「太陽」と「光合成」の文字だけだった。福月の板書能力のせいか、この会議が不毛だからなのか……。

三幸師匠がいるだけで、誰もが楽しい気分になりそこに笑いが生まれる。これを企画にできないものか。そこで、会議は行き詰まってしまった。

僕は頭の中で、会議で出たキーワードから連想されることを考えていた。「余命」「太陽」「光合成」……何も出てこない。

再び沈黙が流れ、会議の空気が淀《よど》んだ頃、デリバリーのピザが届いた。

「お腹がすいているといいアイデアが浮かばないと思ってデリピザしちゃいました。さあ、これ食っていい企画考えてよ」

業田がチーズとマヨネーズがこってりかかったピザをもぐもぐと食べ始めた。

デリバリーか。何か配達することが企画にならないか。何を配達すれば面白いか。太陽をデリバリーすると光合成――。

業田が2つ目のピザを口にした時、キーワードがつながった。

「デリバリーで企画作らない？」

「ピザを配達？」業田が口をもぐもぐさせながら言った。

「ピザを宅配する企画ですか」藤江はのっかろうとするが言葉が出てこない。

「違う。三幸師匠をデリバリーするの」

「三幸師匠がピザを配達するの？」

「じゃなくって、三幸師匠本人を色んなところにデリバリーするのはどう？」

「なるほど、面白そうだ」業田のピザを食べる手が止まった。

「三幸師匠が配達されると、それは盛り上がる」藤江も大きく頷いた。

「視聴者から、三幸師匠の出前内容を募集してさ、そこに師匠が行けば絶対に面白いよ」

「どんな場所に届けると面白いかな？」業田の問いかけにみんなが次々とネタを話し出した。アッという間にホワイトボードがアイデアで埋まっていく。
○結婚式に突然行く！
○銭湯の番台に座っている！
○場末のスナックでママと働く！
○モテない男たちの合コンに参加する！
○得意先を怒らせてしまったサラリーマンと一緒に謝りにいく！

○引きこもりの話し相手になる！
○プロポーズに付き合う！
　会議が一気に活気づいた。笑いが起きる。バラエティは会議の笑いの量で決まる。そして、この笑った感覚を丁寧に企画にするとヒットが生まれる。

「シングルマザーの出産に立ち会って、勇気づけるのはどう」と僕が言うと全員が頷《うなず》いた。

「なるほどね、デリバリー三幸か。いいね。凄くいい」業田はホワイトボードを眺めながらしみじみと言った。

「よし、企画をまとめて三幸師匠に説明に行こう。なあ、藤江」

「わかりました！」

　一つの企画がまとまると気分が晴れる。便秘《べんぴ》が解消されたようなスッキリ感がある。僕はその場に残り、パソコンで企画をまとめADの福月にメールをし、会議室を出た。

　番組が前に進んだ。この感覚を胸に刻み、次の会議へと向かう。これが放送作家の日常である。放送作家はディレクターやプロデューサーに出された宿題を「楽しい」

に変換するのが仕事だ。よく「あれを思いついたのは俺」と威張る輩《やから》がいるが、企画を必死に形にするのはディレクターである。さらにそれを支えるAD、編集、音効《おんこう》、ナレーターとたくさんの人たちの力で番組は作られている。だから自分の手柄のように言うのは違う。胸に刻むくらいでいいのだ。

ふう、よかった。いや、ちっともよくない。肝心の『妻になんて言おう』をすっかり忘れていた。

次の会議でも同じことが起きた。

会議に行くまでは、妻になんて言おうか、何も思い浮かばず不安な気持ちでいっぱいなのに、いざ、会議が始まると企画に集中できる。ついでに病気のことも忘れられる。

最後の会議が終わったのは23時過ぎだった。僕は駅のベンチに座り、ネタ帳を眺めていた。

何か思いつくと、愛用のモレスキンの黒革ノートにカランダッシュ社の万年筆で書いている。ここに何かいいヒントは書いていないか。これまで書いたキーワードで何か思いつくかも知れない。

ぺらぺらめくっていると、ある言葉が目に留まった。色んな局面で学んだことを書き溜めたものだ。

『日常の出来事はすべて企画になる』

そりゃそうだけど、『妻になんて言おうか』は企画になりにくい。

『企画に迷ったら「そもそも」に戻れ！』

そもそも、どうして、余命を一番悲しむ身内に言わなくてはならないのか。

そんな悲しい企画は嫌だ。なにかヒントはないのか。

改めて見返すと、このネタ帳には、色々なネタの断片が書いてある。殆《ほとん》どが意味不明だけど。

なんだ、このメモは……。

『見た感じ「気球」の方が風船ぽく、「風船」の方が気球っぽい』

『珍獣バビルサ。牙がどんどん伸びて最終的に自分の頭に刺さり死ぬ。切ない』

『太っているドイツ人。ジャーマンポテット』

『ネーミングが残酷過ぎるもの。目玉焼き』

いったい、なにに使う気だったんだ？　まだまだ、ある。

『素敵なケチ。子供に飲ませた粉薬の残りをもったいないと飲む母親』

『検証。イボ痔の人は上手くリフトに乗れるのか？』

『新郎新婦がチャレンジ！　披露宴のご祝儀ピッタリ当てたら百万円』

死後、このネタ帳が家族に見つかると相当恥ずかしい。始末しなければ……。

携帯電話が震えた。メールだ。

『お疲れさまです。「ぴったりクイズ」ADの阿部です。次の会議までに、新企画案をお願いします。会議2時間前までに私のアドレスまでお送りください。よろしくお願いします』

いつもの宿題メールだった。放送作家には毎日のようにADから宿題が届く。企画案、タイトル案、キャスティング案、いろんな宿題を発注される。大人になっても宿題に追われる日々だ。しかし、ここからヒット企画が生まれたりもする。

待てよ……。余命のことも番組の宿題と同じように考えるといいアイデアが出るのではないか。余命も企画だと思うと楽しく感じる。不思議だ。

『妻のために余命6ヵ月をどう生きるか企画募集』

これは放送作家・三村修治に神様のADから届いた最後の宿題なのだ。

三村修治の妻、彩子は専業主婦である。

毎朝6時に枕元に置いた携帯電話のバイブレーションで目を覚ます。音を鳴らさないのは横で朝方、床についた修治が寝ているからだ。

寝起きの悪い息子を起こし、朝食を食べさせ学校に送り出す。すると、修治がいつの間にか起きてきて、朝から仕事部屋で作業を始め、少しだけ夫婦の会話をしたら、いそいそと仕事に出掛けていく。家庭を顧みない夫の典型を毎日、目の当たりにしている。

彩子は家にほとんどいない夫と腹を立てずに会話する術を身につけていた。今朝も、遠足の弁当を作ろうと冷蔵庫を覗いたらハンバーグがなくなっていた。修治が食べたのだ。ここで腹を立てると夫と喧嘩になる。

彩子はニヤリと笑うと、冷蔵庫の奥に隠しておいたタッパーを取り、昨晩、下準備しておいたハンバーグを取り出して焼いた。修治が食べたのはダミーだったのだ。

彩子は修治の行動の一歩先を読むことができる。不規則で超が付くほど忙しい夫の行動にいちいち腹を立てていては、なんのための夫婦かわからない。これが結婚生活で身につけた放送作家の妻の術だった。

息子と夫の「いってきます」に彩子は元気に「いってらっしゃい」と送り出した後、歌を口ずさみながら家事をするのが日課だった。

「木綿《もめん》のハンカチーフ」を口ずさみながら家事にとりかかった。

乾燥機から乾いた洗濯物を取り出しかごに詰める。山盛りの洗濯かごを一旦、床に置き、昨晩、やるはずだった掃除に取りかかる。散らかった問題集やプリントを手際よく片付け、紙くずを拾い、掃除機をかける。

勢い余って掃除機の先が棚に当たった拍子に、写真立てがパタンと倒れた。口ずさんでいた歌が4番にさしかかった頃だった。

彩子は歌をやめ、倒れた写真をもとに戻した。

写真には家族全員が思いっきり睨《にら》んだ顔で写っている。

彩子が一番気に入っている写真だった。

大学で写真を専攻していた彩子が、いつも写真係だったが、この写真だけは修治が撮ったものだった。

この写真を見る度、彩子は修治が言ったあの言葉を思い出す。

結婚して5年目、修治の仕事が急激に忙しくなり、彩子も子育てに追われ、夫婦の生活にすれ違いが起きた時、言った言葉だ。

「この頃、なかなか一緒にいられないけど、僕は家族のことを思って頑張っている。だから、三村家はそれぞれが頑張っている家族でいよう」

最初に聞いた時は、忙しいのを仕事のせいにして、随分、身勝手な言い方に聞こえたが、確かに修治は驚く程、頑張っていた。

仕事の愚痴《ぐち》を言おうものなら、こっちも一言、言ってやろうと思っていたが、どんなに忙しくても文句一つ言わなかった。必死にもがいているのではなく、あんなに忙しいにもかかわらず、いつも楽しそうに笑っていた。

『にもかかわらず、笑顔でいる』そんな姿を毎日、見続けてきた。

いつしか彩子も修治のように笑えるようになっていた。だから、この言葉が彩子の支えとなり、頑張っていることがつながっているように思えた。

最近になってもう一人頑張るやつが増えた。小学5年になる陽一郎が私立中学を受験したいと言いだしたのだ。きっと友達が受験するので、そんな気分になったのだろうと思っていた。しかし、陽一郎の目がいつになく真剣だった。彩子自身も中学受験経験者なので大変さはよく知っている。これは、今まで以上に忙しくなるぞ。なにせ修治は全くあてにできないからだ。

二十数年ぶりに教科書を開き、参考書を片手に必死に予習をして教えるのだが、肝心の息子は勉強したそばから忘れていった。

「昨日、あんなにやったのになんでそんな簡単に忘れられるのよ」

「だって、まだ習ってないもん」

「言い訳しない。受験は自分が決めたことでしょ」

毎日、そんなやりとりの繰り返しだった。陽一郎は10分と机にじっとしていられない。おいおい、そこからかよ！　という気持ちでいっぱいだったが、息子との蜜月《みつげつ》が嬉しくも思えた。

掃除のあとは、洗濯物をたたみ、床に並べてゆく。父親のTシャツと子供のTシャツ、父親の下着と子供の下着、並べてみると大きさが違うのがよくわかる。この差がドンドン縮まると陽一郎は青年になり大人になっていく。自分や夫の洋服が少しずつ地味になっていくと夫婦は一緒に老いてゆく……。彩子はそんな時間が好きだった。

修治が録画した番組を観るのも楽しみだった。番組を観ながら、ここで修治は笑ったんだろうなとか、こんなつまらない番組も観るんだとか、想像していた。

家事のあとに観ようと、ビデオの録画一覧を見ていると、毎週録画に加わった見慣れない番組があった。

「こんな番組も観るんだ……」

リビング中に並べた洗濯物の隙間をピョンピョンと跳びながら彩子はキッチンに行った。今度はキッチンの掃除と買物の準備である。歌いながらスポンジを持った。彩子が口ずさんだのは「赤いスイートピー」だった。

9月28日　余命あと178日

妻のために残りの時間をどう過ごすのか。そんなことをテレビの企画を考えるようにできるのか？　夜中、机に向かい考えてみる。

企画意図は……『家族と思い出作り』。

妻はカメラが得意なので、家族で写真を撮りながら旅行するのは？　6ヵ月あれば日本一周できる。きっと一生忘れられない旅になるだろう。

椅子でくるくる回りながら旅する姿を想像してみる。……何故かしっくりこない。

企画が浮かばない時、僕は気分転換にリビングにいく。

ソファーに深く座り、頭の後ろで手を組み考えてみる。

我が家のリビングには一枚の写真が飾ってある。

なんで、よりによって、この写真なんだろう。僕はそんなことを思いながら、家族全員が睨んでいる写真を眺めていた。

でも、このリビングにくると心が安らぐ。それは一国一城の主の優越感とかではなく、妻のぬくもりを感じるのである。

家庭の居間には、その家のお母さんのぬくもりが宿っている。植物がたくさんあったり、写真が飾ってあったり、手編みのクロスが敷いてあったり。その家々のぬくもりがある。

深夜、仕事に取りかかる前にここに来て少しだけ、ぼーっとする。妻に見守られているような気がするのだ。

「ちょっと、ソファーで寝ないでよ！　寝るならベッドに行ってよ」ドスの利《き》いた声に驚き、振り返ると妻が立っていた。トイレに起きたのだ。

「びっくりするだろ。考え事してたんだよ」

「そんなこと言ってさ、いつの間にか、ここで寝てる方が多いんだけど」たまには寝るけど、それがなんだよ……心の中で逆らう。

「ここじゃ、集中できないから、部屋で仕事しよっと」

妻の横を、僕はつんとした顔で通り過ぎ、再び仕事部屋で考えることを続けた。リビングに妻のぬくもりがあるなんて、なんでそんなこと思ったのだろう。

10月1日　余命あと175日

テレビ界は、今日も特番まっさかりだ。僕の担当している番組も今夜3時間の拡大版が放送される。そんな中、喫茶店に籠《こも》り「妻のために余命6ヵ月をどう生きるか企画」を考えることにした。長年、通っている店の名前は「憩《いこい》」。南青山の骨董《こっとう》通りを一本奥に入った路地の2階にある。

店内は薄暗く、アンティークな電気スタンドの灯りが渋さを引き立てていた。いつもJAZZが流れている。20年程前は、どこのテレビ局の近所にも、こんな喫茶店があった。そこで放送作家はコーヒーとタバコを相棒に原稿を書いたり、企画を考えていた。そんな姿に憧れて、ここに通いだした。先代のマスターは数年前に引退し、今は孫が店を切り盛りしている。

「三村さん、いつものブレンドでいいですか。それと灰皿ですよね」

「いや、ホットミルクで。あとタバコはやめたんだ」

「体、悪いんですか」

「そう見える？」

「いいえ、顔色もいいし。元気そのものに見えます」

人によっては、すい臓ガンはそんなに見た目に変化が出ない。ひとまず安心した。

テーブルの上にネタ帳を広げ、万年筆で、とりあえず「余命6ヵ月をどう生きるか企画」と書いてみる。

本来なら、残りの時間を家族と過ごし、看取られて死んでいく。だが、僕が思うのは、そういうしめやかな感じではなく、自分がいなくなった後に妻と息子が笑顔でいられる企画なのだ。

それがどんな企画なのかは、まだ、まったくわからない。なかなか手強《てごわ》い宿題だ。

ネタ帳を見てみると『企画を考えるのではなく「気持ち」を企画にするのだ！』と書いてある。

放送作家は芸術家ではない。いつも視聴者のニーズに応えるサービス業だ。自分のやりたいことではなく、視聴者が観たいことを「楽しいこと」に変換し企画にするのである。

そう決意した日から、企画が通らなくても拗《す》ねない、あきらめない、リモコンでチャンネルを変えられてもひるまない。お茶の間の笑顔を想像して頑張ってきた。

『企画はワクワクさせて満足させる』

タイトルを聞いただけでワクワクする。でも、内容に満足しなければ、ワクワクはがっかりに変わる。だから、ワクワクが満足になるまで考えなければならない。


『煮詰まったらタイトルから考えろ！』

タイトルをたくさん挙げる、そこから中身を思いつくこともある。例えば「余命」から思いつくタイトルを挙げてみる。「余命ダイエット」「余命マラソン」「余命に乾杯」「余命のおきて」「余命川柳《せんりゅう》」「余命歌うまい王」「余命ランキング」「ちょい足し余命」「余命大喜利《おおぎり》」「余命クイズ」……。ダメだ。いったい、何がしたいのかもわからなくなってきた。かれこれ1時間以上考えているが何も浮かばない……。

そうだ、この際、パクろう。少しくらいパクっても神様は大目に見てくれるだろう。企業の社員食堂レシピが話題になった。ならば「余命6ヵ月の放送作家が考えた余命レシピ」……。全く美味しそうじゃない。

「命の果てまでイキてQ」「余命6ヵ月まで死ねまテン」「余命でいいとも！」やばい……。妻と息子を笑顔にする要素がかけらもない。

ミュージシャンなら最愛の人に歌を残せたりするが、放送作家は何を残せるのだろう。やっぱり自分は「企画」だ。この先、妻が悲しい思いをしなくてすむ楽しい企画を残すしかない。それはタイトルを聞いただけでワクワクし、中身を想像しただけでにんまりしてしまう。そんな企画だ。


「三村さん、もう一杯飲みますか」

あれ、ここはどこだ。気がつくとどうやら壁にもたれ眠っていたようだ。

「なんか、気持ちよかった」

「でしょうね。寝ながら、ずっとニヤニヤしてました」

きっと家族の夢をみていたからだ。断片的にしか覚えていないが、僕は家族3人でテレビを観ていた。内容はわからないが、楽しい番組だった。家族が同じところで笑っていた。

なんだか無性に2人に会いたくなってきた。そうだ、今夜、放送される特番を家族で観よう。企画はその後で考えることにしよう。

「お帰りですか」

「うん。このお店にも色々、お世話になったね。古いマスターにもよろしく伝えて」

「改まったりして、なにかあったんですか」

「なーに、家族のもとに帰るだけさ」かっこいい台詞《せりふ》だ。僕は鞄にネタ帳と万年筆を仕舞い店を出て、スキップしながら家路を急いだ。

駅に着いたのは19時を回ったあたりだった。こんな早い時間に帰宅したら妻はびっくりするだろう。いやいや、喜ぶに違いない。

「ただいま〜っ」応答はなかった。シーンと静まり返っている。誰もいないの？　いや、リビングからは明かりが漏《も》れていた。そっとリビングに向かい、ドアの隙間から中の様子を窺《うかが》う。

食卓テーブルに向かい合う妻と息子がいた。息子は険しい顔をして何か書いている。妻は眉間《みけん》を彫刻刀で削ったような更に険しい顔で見守っている。

陽一郎が中学受験をするって話を妻に聞いたことを忘れていた。毎日、予習、復習が大変と妻が嘆いていたことも忘れていた。いつも家にいない僕は2人のこんな真剣な姿を初めて見た。そして、完全に場違いな空気を感じていた。

息子の手元を見ていた妻が言った。

「また、計算間違ってるよ」息子は、不服そうな顔をした。

「式があっていても、答えが違うと点数もらえないんだよ。数字の書き方が雑だからわからなくなるの。全部消してやりなおし」息子は口をへの字にしながら、渋々、それに従った。

「あのね、一生懸命やっても最後の最後で間違えるのって、もったいないと思わない？」

妻の言う通りだ。番組も収録は面白かったのに最後の編集が雑になると面白さが半減する。

部屋に鉛筆でカリカリ書く音だけが聞こえる。なんだか親子2人きりで一生懸命、生きている気がした。将来、僕は天国から、2人をこんな感じで覗いているのかな。

僕はおそるおそる声をかけてみた。

「ただいま」

「びっくりした。なんでこんな早いの？」

「勉強中？」

妻は、見ればわかるでしょという顔をしながら息子に新しいプリントを渡した。

「ようやく集中してきたところだから話しかけないで」

家族でテレビを観よう、なんて言える空気ではない。自分の家なのに居場所がない。

僕は音を立てないように、キッチンに行き、水を飲んだ。この家の台所は、いつも、僕に内緒で美味しいものを食べた形跡がある。テレビで紹介されたスイーツは、数日後、空き箱だけ置いてある。決して、僕の分まで残っていることはない。

しかし、今日は作りかけの食材が散らかっている。切りかけの豚肉と野菜。箱からはみ出したカレーのルー。

「今晩、カレーなんだ？」

妻はシーッという仕草をしたが、すぐに我に返って言った。

「そうだ。夕飯の支度してたの忘れてた」

妻は一つのことに集中すると周りが見えなくなるタイプだ。

「代わりに、作ろうか」

「本当？」急に顔付きが変わった。

「お父さん、カレーなんて作れるの」陽一郎が興味を示した。

「お父さんはレストランでバイトしていたから料理は得意なんだよ」

「ほら、集中して。ご飯まで、あと1ページ、問題集やろう」

「やれやれ」息子は鉛筆を鼻の下に挟みながら問題集をにらんでいた。

家族水入らずでテレビを観るはずが、何故か夕ご飯の支度をすることになってしまった。こっちも、やれやれである。

僕は、ある新婚のタレントが番組で作ったトマトカレーを作ることにした。手順は完璧に覚えていた。何故なら自分がナレーションを担当したからだ。

勉強が一段落したところで夕飯の支度も整った。カレーは妻と息子に好評だった。息子はスプーンにたっぷり載せたカレーを一口で食べて言った。

「うーん、味がプロっぽいよ」

「でしょ。隠し味に生姜《しょうが》を下ろして入れるんだ」

息子が感心すると、すかさず妻が口を挟む。

「あのね、家のカレーはシンプルがいいの。その方がお袋の味って感じでしょ。でも、美味しいわ」

ようやく、いつもの妻に戻った。家族でテレビを観たかったが、まあ、いいか。

家族一緒に夕飯を食べるのは久しぶりだった。あっという間に一家団欒は通り過ぎ、妻と息子は食事を済ませるとすぐ勉強に取りかかった。

終わったのは24時を回った頃だ。この日、三村家のテレビは一度もつくことはなかった。

第二章　妻のための企画を思いつく

10月3日　余命あと173日

僕は朝から特番の台本を書き、送信した後、担当医から届いた今後の治療に関するメールを読んでいた。メールによると放射線化学療法をするとガンが縮小して、切除可能になるケースもあり生存期間がのびるという。

僕はそれに返信を書き、出掛けた。

「いってきます」

「いってらっしゃい」

妻は今日も何事もなく送り出してくれた。

マンションの玄関で財布の中を見ると、お札の向きが揃っている。

これは結婚以来続いている、妻の日課だった。この揃ったお札を見る度、会話している気がした。


僕が向かったのは病院だ。入院を断りに行くのだ。

メールを読んだ担当医はびっくりしているだろうな……。

「本気で延命治療をなさらない気ですか」担当医は真っ先にそのことを聞いてきた。

「本当に申し訳ありません。残された人生でやりたいことがあるんです。入院していたら間に合わないんです」

「それは三村さんの命より、大切なことなんですか」

「はい。それに懸けてみたいんです」

「よかったら、そのやりたいことを教えてもらえませんか。確か三村さんは放送作家をされていますね。もしかしたら、ご自身の病気のことを番組にされるんですか」

「いえいえ、そんなことはしません。びっくりしないでくださいね。まだ、それが決まっていないんです」

担当医は絶句して、その後、困り果てていた。

遂《つい》には病院の経営陣までやってきた。

「まさか他の病院に移る口実じゃないでしょうね」

僕は引きつった笑顔で、ただただ入院を断るしかなかった。

何かを感じてくれたのか、それとも呆れられたのか、担当医は言った。

「わかりました。しかし、こちらもできる限りのことはさせていただきます。1ヵ月に1回、2ヵ月に1回でもいいので、診察はさせてください」

「わがままを言って申し訳ありません」

僕は頭を下げた。本当にわがまま言ってごめんなさい。

病院から駅に続く道は、秋の気配がした。すぐ秋が過ぎ、冬が過ぎ、春になる。一刻も早く企画を考えないと。立ち止まって考え込んでいると、ものすごい音とともに黒いかたまりが植込みの上に降ってきた。

何事？　黒いかたまりは男とギターケースだった。

見上げると結婚相談所の看板がある。あんなところから落ちたの？　ギターケースがクッションになったお陰で大事にはいたらなかったようだ。

男は上から下まで黒ずくめだった。黒のライダースジャケット、黒のジーンズに黒いブーツを履いていた。ミュージシャン？

　僕が声をかけようとすると、男は額から血を流しながら言った。

「お怪我《けが》はありませんか？」

「こっちは大丈夫だけど、君の方が怪我しているよ」

「うわっ」流血に気づいた男は自分にびっくりしていた。

　待てよ……。自分が立ち止まらなければ、巻き添えになって病院に担ぎ込まれるところだったじゃないか。入院を断ったばかりなのに……。

「あのさ、僕の上に落ちてくる可能性もあったんだよ。こっちは今、死ぬわけにはいかないんだよ」

「重ね重ね申し訳ありません……」

　男は立ち上がろうとしたが、足がもつれて、すぐ転んだ。

「……どうやら足をひねっちゃったみたいです。こんなことを聞ける立場じゃありませんが、この辺に病院はありませんか」

　それならすぐ近くにある。

「運がいいよ。よく知っている病院があるから、連れて行ってあげる」

「本当に何から何まですみません」男は情けない声で言った。

僕は男に肩を貸し、男はギターケースを松葉杖代わりにしながら病院に向かって歩き出した。

「つかぬことを聞くけど、なんで看板の上にいたの？」

男はため息をついたあと言った。

「……看板の上で歌を歌おうと思いまして」

「えっ、あんなところから」

「はい。女にふられた腹いせに……」

ふられた？　放送作家として好奇心が湧いてきた。もしかしたら、番組で使えるネタかも知れない。

「なんかわけがありそうだね。よかったら話してみないか」

「聞いてもらえるんですか」

「こういう時は話をするのが一番。あのさ、少しだけ病院に行くのを我慢できる？」

「足以外、他はたいしたことないみたいです」

僕たちはベンチに腰を下ろした。

結婚相談所の看板には、数ヵ月前に離婚した女優の原山典子《はらやまのりこ》の笑顔と、「只今、婚活中！　バツイチの私でも大丈夫！」というキャッチコピーが書かれている。広告に起用された原山は、この相談所で実際に婚活している。これが話題になり、この広告は一躍有名になった。

「そうだ、君、名前は？」

「申し遅れました。森田義和《もりたよしかず》と申します」

「音楽やっているの？」

「はい。わかります？」

そりゃ、わかるよ、見たまんまだ。

「よっぽど悲しい失恋だったんだ？」

「最愛の人にプロポーズしたら、ふられました……」

なるほど。

「いつ、ふられたの？」

「30分ほど前に、結婚相談所の看板の前で……」

結婚相談所の看板の前でプロポーズしてふられるなんて、なんて間抜けな話なんだ。これはコントになるかも。

「なんだか、嬉しそうですけど」と僕に森田は言った。

「違う違う。こっちも色々あったんで、それを思い出していたんだ」僕はあわてて取り繕《つくろ》った。

森田は落ち着いてきたようだ。どこで女性と出会い、どんな恋愛をし、芸能人でいうと誰に似ているかとか、聞いてもいないことまで話しだした。

そして、心の底から彼女を好きだったことも伝わってきた。

森田はプロポーズのラブソングを作り結婚を申し込もうとしたという。

「ふられた理由は、やっぱり音楽じゃ食べて行けないから？」

「いいえ。好きな人ができたって……」森田は涙ぐみながら続けた。

「彼女は８つ年上なんです。以前、彼女に売れるまで結婚を考えられないって言ったことが、ショックだったみたいで、私に内緒で婚活をしていたんです」

「もしかして、婚活って、あの看板の結婚相談所？　いやあ、そんな偶然はないか」

「私が問いただしたら、彼女は看板を指差しました」

そんなよくできた話があるのか？

「すべて私が悪いんです。売れないと結婚しないだなんて、勝手にルールを決めたりして。本当に愛していたら、どんな時でも幸せにしてあげられたはずなんです」森田は泣いていた。

彼女にふられた後、森田は悔しさと悲しさで頭に血がのぼり、結婚相談所の看板の上で、ラブソングを歌って、この恋に決着をつけようとしたところ、足を滑らせてしまったという、まぬけなオチだった。

「好きだった？」

「はい。死ぬほど。一番歌を聴いてほしかった人がいなくなってしまいました」

「そのラブソング、歌詞はある？」

森田はライダースジャケットのポケットから、くしゃくしゃの紙を取り出した。

そこには、一人の男のまっすぐな愛が綴《つづ》られていた。

僕は単純に感動した。歌詞だけでこんなにグッときたのは初めてだった。そして、この歌詞を見て、森田のまっすぐな愛をコントにしようとしたことを恥じた。

一人の人間が真顔で頑張ったことを笑いにしてはいけない。

「この、どんなラブストーリーより僕たちの愛は輝いている、ってところ最高にいいよ。森田君の愛が伝わってくる」思い出のスイッチを入れてしまったのか、みるみる涙が溢れてきた。

「アルガトロゴザマシス」多分、ありがとうございますと言っているのだろうが、嗚《お》咽《えつ》で聞き取れなかった。

「まだ、終わってないよ。彼女が結婚するまでは終わりじゃない。また、彼女の目の前で歌うんだ。何度も何度も。諦めなかったらきっといいことがある。それでも伝わらないなら、今度はこっちからふってやれ。一人の視聴者の心を動かせなくてどうする」

「視聴者……？」

「………」

僕は森田を連れて病院の受付に向かった。さっきの経営陣と目が合ってしまった。僕は笑顔で言った。

「新しい患者さん、連れてきました」

森田を送り届けた帰り道、さっきの現場に行ってみた。見上げると原山典子が僕に向かって微笑んでいる。

「只今、婚活中、バツイチの私でも大丈夫か……」婚活をコマーシャルと私生活の両方でやるなんて、いい企画だ。そんなことに感心していたら、なんだか急にむずむずしてきた。

待てよ。この先、妻はバツイチになる。

妻のために余命6ヵ月をどう生きるかを、僕はずっと考えている。

企画が生まれそうだ。落ち着け。僕は自分に言い聞かせた。

『只今、婚活中』妻もいずれ結婚を考えるかもしれない。

『バツイチの私でも大丈夫』ってことは……、相手さえいれば、また結婚も可能だってことだ。

今まで考えたこともない企画が生まれそうだ。

僕がいなくなっても、妻と息子が幸せに暮らす……。

妻と息子を愛してくれる人がどこかにいる……。

頭の中でＪＲ東海のＣＭ音楽が聞こえてきた。「My Favorite Things」だ。そして、目を閉じると、僕に向かって新幹線がどんどん近づいてくる。新幹線のライトがまばゆく光った時、企画がはっきり見えた。

「そうだ、妻の結婚相手を探そう！」

妻の結婚相手を探す。今まで、思ったこともなかった。そりゃそうだ、夫なのだから。でも、夫だからこそ思いついたのだ。

看板の原山典子を見ると、やっぱり僕に向かって微笑んでいた。

その日の晩、僕は仕事部屋で、この企画で本当にいいのか考えていた。

妻の再婚相手を探す。思いついた時は興奮していたが、冷静になってみると、かなりバカげている。もし、バレたら妻はぶち切れるだろうな……。一日も早く入院しろ、と一喝されるだろう。

これまでも何度もキレられたことがある。

世界一高いバンジージャンプをしにアフリカに行きたいと言った時。

氷点下で、泣ける映画を観ると、涙は凍るか？　それを試しにアラスカに行きたいと言った時。いつも、烈火の如《ごと》くキレられた。それでも妻は、最後の最後には許してくれた。ものすごく怖い顔をしていたけど……。

ネタ帳をめくってみた。

『その企画に正義はあるのかを考えろ』と書いてある。

企画には正義がいるのだ。何かに似てないか。必然性はあるのか。誰かが傷ついたりはしないか。それらを答えられて初めて企画といえる。

夫が妻の再婚相手を探すなんて企画は聞いたことがない。

漫才師に新しい相方、野球のバッテリーに新しいピッチャー……。

相方にとって大きなお世話だろう。探すほうも相方に相談もできない。

僕は椅子に座り、何度も、くるくる回りながら、考えた。

やっぱり、死ぬのは怖い。だから、家族が幸せに暮らしている姿を想像する。それだけで、この余命を生ききれる。

ある番組で、100キロマラソンをしたアイドルが、辛くて辛くて走れなくなった時に何をしたかというと、とにかく楽しいことを考えたそうだ。どうにもこうにも辛い時こそ、楽しいことを思い浮かべるのだ。

この企画のルールは、絶対に妻にバレずに成し遂げるということだ。

決めた。愛する人の未来に幸せを残すと決めた。

10月22日　余命あと154日

渋谷から特急電車に乗り40分ほど行くと、景色は長閑《のどか》な住宅街に変わっていた。懐かしい街並が夕日に染まっている。

夕食の買い物客で賑わう商店街を通り抜け、児童公園の脇道に沿ってしばらく行くと、緑色の屋根の一軒家が見えてくる。

実家だ。ここに両親が暮らしている。

「珍しいっ、修治が来るなんて。仕事は？　彩子ちゃんは元気？　陽一郎も勉強大変なんでしょ？　そうだ、昨日カステラもらったから持って帰る？」

母の質問はいつもバラバラで、なにから答えていいかわからない。

これが母の話し方だ。こんな母に僕は育てられた。

母が唯一、子供の頃から僕に言い聞かせてきたことは『素直が一番』だった。素直であれば、何でも吸収できる。人様が成長させてくれる。これが生涯専業主婦だった母が、僕に授けてくれた武器だ。

父は、テレビを観ながら「浮気でもバレたのか」と言った。久しぶりに息子が顔を見せたのにこれだ。

そんな父が授けてくれた武器はユーモアだった。

小学生の頃、父と巨人－広島戦のナイター中継を見ていた。試合は5対1で巨人がリードしていた。父は広島ファンの友人に電話した。

「うちのテレビは巨人が勝ってるけど、お前んとこは、どっちが勝ってる？」

そう言いながら父は笑っていた。僕は、その言い方が好きだった。

人生の教訓めいたことは一切言わない父だったが、父の周りをクスッとさせる言葉を聞きながら僕は育った。

僕は素直とユーモアという2つの武器を授かり社会に出た。

そのお陰もあって、僕は先輩たちの貴重な経験を学ぶことができた。行く先々で、人様は色んなことを教えてくれた。素直だと、叱りやすいのか人一倍叱ってくれた。酒場にも連れ回してくれた。そしていつの間にか、門前の小僧は習わぬ経を読めるようになっていた。

今日、実家に来たのは、両親に一つだけ聞いておきたいことがあったからだ。

久しぶりに母の手料理を食べながら、たあいもない話をした。

「ごちそうさま。仕事もあるし、そろそろ帰るわ」

「あら、もうそんな時間？　そうだ、お母さんあの番組面白かったわ。あのクイズの」

「あのじゃ、わかんないよ。そうだ、一つ聞いておきたいことがあるんだけど。もし、問題が起きて悩んだりしても、最後に答えを出すのは自分だよね。自分を信じていれば大丈夫だよね」

母は父の顔を見た。父は背中をピクリとさせた。

「彩子ちゃんには相談したの」

「彩子に相談できないとしたら」

母は顔色を変えて言った。

「あんたたち、別れるの?」父の背中が、もう一度ピクリとした。

「違う、違う。そう聞こえちゃった? 全然そういう話じゃないから、安心して」

一瞬固まった母は、その言葉を聞いて動きだした。

「人様に教えてもらったことがたくさんあるんだから、そこから答えを見つけて決めるといいよ」

「そうだよね。また来るよ。ありがとう」

「夕飯代はつけにしとくぞ」と父はユーモアを言った。

「3人分、つけといてくれよ」とユーモアで返した。

僕は、玄関の扉を閉めると、懐かしい家を少しだけ見ていた。そして、カステラの入った紙袋をぶら下げながら駅に向かった。

10月23日　余命あと153日

今日から妻に代わって婚活をしよう。

番組も視聴者の気持ちになって企画を考える。旅番組なら、テレビの前にいるおばさんの気持ちになり、行きたい観光地や温泉を選んだりする。

婚活も同じだ。妻の気持ちになって理想の相手を探そう。

もし、妻は僕と出会っていなかったら、どんな人生を送っていたのだろう。

「素晴らしき哉《かな》、人生！」という映画があった。

主人公の男が「生まれて来なければよかった」と嘆いていると、天使が現れ、特別に男が生まれて来なかった場合の世界を見せる。すると最愛の妻は不幸のどん底にいた。男は、自分がいたから妻は幸せになり、妻がいたから自分も幸せでいたことに気づき、再び生きる勇気が湧いてくるという感動的な話だ。

もし天使が、僕が生まれて来なかった場合の世界を見せてくれたら……妻はそこそこ幸せに暮らしているだろうな……。

僕は、ネタ帳に、これからすべきことを書き出した。婚活に関する本を読み、独身女性の結婚観を学ぼう。それから再婚した人は、どんなきっかけで結婚に至ったかもリサーチしよう。そうだ、お見合いパーティにも出掛けよう。そう思うと、なんだかワクワクしてきた。企画は作り手が楽しむことから始まる。

誰よりも乙女気分で胸キュンする相手を見つけるのだ。

僕は新宿にある大型書店に行った。ありったけの婚活に関する本を抱えレジへ向かう。

「婚活X〜私ふられないので」「ハートがときめく婚活の魔法」「目からウロコの婚活術」「運命の糸をたぐり寄せる10の婚活ルール」「恋愛捜査官が教える婚活男逮捕術〜胃袋も逮捕するレシピ付き〜」etc.

店員はバーコードを読み取る度に婚活本が続くので、驚いている。引くなら引くがいいさ。全部、吸収してやる。

仕事の合間、寝る時間を削り、婚活本を読みまくった。妻に代わって、最近の婚活事情を頭に叩き込んだ。

一応、妻にバレないよう本をまとめて引き出しの奥に隠しておいたが、さらに、見つかった時のためにダミーの婚活番組企画書を作っておいた。ドッキリやサプライズ企画はバレないための気遣いが大事なのだ。

あらゆる婚活本の中から、共感できる一冊に巡りあった。

「婚活の神様」。著者はマリッジ寿《ことぶき》。

気に入った理由は考え方が番組作りにとても似ていたからだ。

帯によると、30代の女性を中心に100万部も売れているらしい。

ということは、全国に100万人もライバルがいることになるのだ。

婚活の神様は冒頭から、かましている。

「いい相手が現れたら結婚しよう、では、おそ過ぎます。いつも婚活スイッチをオンにしておくこと。いい相手がいないのではなく、いい相手に気づかないのです」

その通りだ。放送作家になってから頑張ると言っている人が放送作家になったのを見たことはない。企画が通ってから本気を出すという人の企画は通ったことはない。

自信をなくしている人にはこんな提案をしていた。

「恋愛をしても、いいところまではいくが結婚にはたどり着かない。そんな繰り返しで、自信をなくしてしまった人へ。これまでの失敗こそが大切なデータなのです。失敗した原因を改善するだけで自分を磨《みが》くことができる。成就しなかった恋愛にこそ結婚のヒントが隠されているのです」

ヒット番組も簡単には生まれない。すべての失敗が教訓や糧《かて》となり、それを改善するからヒットが生まれる。僕も何十本も番組を終わらせてきた。

打ち切りになる番組は真似ばかりして魅力にかけるなど、終わるなりの明確な理由がある。終わった理由に目を背けて新番組を作ってもヒットすることはないのである。

結婚に条件を求める人に指摘しているところも番組作りに似ていた。

「結婚に条件ばかり求める人がいます。高学歴、高収入、高身長の三高に始まり、低姿勢（自分に優しい人）、低リスク（安定した職業）、低依存（束縛しない人）といった三低など。条件に合う人がいないから結婚しないだけと思っている人へ。それは勘違いです。まず相手の良さを見つけることから始めましょう」

豪華な出演者、潤沢《じゅんたく》な予算など、条件が揃わないからヒットしないと嘆く制作者がいるがそれは間違い。番組はテレビの前にいる視聴者の笑顔を思い浮かべて作るものなのだ。与えられた条件を楽しむ。そうすると番組の輝かせ方が見えてくる。

結婚がゴールだと思い、その先に継続があることを忘れてしまう。そんなことについてもわかりやすく書いてある。

「周りにいるライバルに勝ちたい。しかし、ライバルに勝とうとするあまり、見栄をはり、どこか無理をしている人へ。無理は禁物。見栄は自分につく嘘なのです」

テレビにも裏番組というライバルがいる。ヒットさせるには、その時間帯で一番観たい番組でなければならない。そんな思いから、ついテレビ欄を大げさに書いたりするが、がっかりされてしまうことが多い。一度、信用を落とすとなかなか視聴者は戻ってこないのだ。

マリッジ寿の婚活論はまさに番組を作る時の考え方に似ていた。これはもう、直接、会って話を聞きたい。

インターネットで検索するとマリッジ寿のHPに連絡先が載っていた。ダメもとでメールを入れてみることにした。

マリッジ寿先生へ

「婚活の神様」楽しく本を拝読させて頂きました。

私は放送作家をしております三村修治と申します。

男性でありながら、本を手に取ったのには少々、わけがありますが、一度、お会いして、色々お話を伺いたいのですが如何《いかが》でしょうか？

よろしくお願い致します。

三村修治より

くどくど書くのもなんだなと思い、こんなメールを送信。すると、5分もしない内に返信があった。なんとマリッジ寿、本人からだ。

三村修治様へ

本を読んで頂きありがとうございます。
お名前もよく存じ上げております。
お会いする件ですが、勿論《もちろん》、喜んでお受けします。
11月3日の13時は如何でしょう。
ご都合がよければ私のオフィス兼自宅でお待ちしております。
楽しみにしております。

マリッジ寿より

早っ。こんなに簡単にいくとは思わなかった。何かいい縁があるかもしれないぞ。

11月3日　余命あと142日

婚活の神様に会いに行く。

マリッジ寿は赤坂の坂の上に立つタワーマンションの高層階に住んでいた。ベストセラー一発でこんな暮らしが手に入るのか。

マンションの入り口には、高くて分厚い扉がそびえ立っていた。インターホンに部屋番号を入れると無言で玄関が開いた。吹き抜けのエントランスを行く。美人のコンシェルジュが笑顔でこちらを見ている。

高速のエレベーターはあっという間に僕を運んだ。部屋の前で深呼吸をした。いったい、マリッジ寿はどんな人物なのか。インターホンを押すと、鍵が開く音がして、ゆっくりドアが開いた。

「お久しぶりです、三村さーん」

玄関に立っていたのは芸人の江口《えぐち》だった。

「はっ？　なんでお前がここにいるんだ」

「僕が婚活の神様でーす」

「江口が神様……、どういうこと」

「マリッジ寿って、僕のペンネームなんです」

「あんな前向きな婚活本を書いたのは江口ってこと」

「その通り。びっくりしたでしょ」

「がっかりしたよ」

「おいおい、そんな言い方しなくっても……」江口は手を前に突き出し漫才のようにツッコミを入れた。

江口は飼育係《しいくがかり》という結成13年目の漫才コンビのツッコミ担当である。前説《まえせつ》をしていた新人の頃からの知り合いだった。

何度も番組に起用したことがあったが、芽が出ることはなかった。江口は自分しか見えていないタイプで、周りを気にせずぐいぐい前に出てくる。しかし、そのコメントは編集でほとんどカットされ、ナレーションで潰されてしまっていた。スタッフの間では「ミスター・ナレーションベース」と呼ばれていた。

その内、後輩たちにどんどん追い抜かれてしまい、江口から出る言葉は愚痴ばかりになった。

仕事がない江口が積極的に続けたのは合コンだった。先輩芸人のご用命があれば合コンを仕切った。いつしか芸人仲間から「合コンの帝王」と呼ばれるようになった。しかし、それが仕事につながることはなかった。

案内されたリビングは都内を一望できる眺めのいい部屋だった。

「成功者の部屋って感じだな」

「人生、何があるかわからないですね」

「どうしてマリッジ寿なんて名前で出版したんだ」

「出版する条件が、芸人江口の名前を出さないことだったんです。編集者にその方が絶対に売れるって言われて。おいおい冗談じゃないぞ！　って言ったんですが、やっぱりそうでした……」

その編集者は正しいと思った。

「だから、マリッジ寿の正体は相方くらいしか知らないんです」

「そうなんだ……」

「本当は芸人として売れて、こんなマンションに住みたかったんですけど」

「でも、なんで婚活の本を書いたんだ？」

「俺、しょっちゅう、合コンしてたじゃないですか」

「色んな女子と合コンをしてわかったんですけど、一番楽しかったのが30代の女の子と合コンをした時だったんですよ。何でかわかります？」

「噂は聞いてる」

「大人の女性の魅力とか……」

「違いますよ。30代の女性は本気なんです。20代の女の子はタダで飲み食いできて自分たちが楽しければいいって態度なんです。だから、こっちは全然、楽しくない」

「そんなものか？」

「三村さん、いつも言っていたでしょ、なんでも本気じゃないと面白くないって」

「本気か……」そうだ、それは、妻の結婚相手探しにもいえる。

「30代の女の子は合コンで真剣に結婚相手を探しているんです。だから、気配りがハンパじゃない。料理がきたら取り分ける。お酒がなくなる前に注いでくれる。人の話もよく聞くし、よく笑ってくれるんです。そんな健気《けなげ》な姿を見ていると応援したくなってきたんです。早速、合コン仲間の編集者に相談したら、乗ってきて、あれよあれよという間に本が出て今に至るんです」

「なるほど、継続は物凄い力になったな」

「そうなんです。継続はウコンの力なりって」

「……でさ」

「そこ、スルーすんのかよ」江口は少しずっこける仕草を見せた。

今のは面白かった。やればできるじゃん。

「でさ、今日はその婚活の流儀を、色々教えてくれないか」

「マリッジ寿にメールしてきた目的はそれですね。また新番組とか作っちゃうんでしょ」

「……そんなとこかな」

「もう、監修代くださいよ」

久しぶりに会った江口は、自信に満ちた顔をしていた。

「じゃあ、お世話になった三村さんに教えちゃおうかな。題して、そうだったのか婚活！」

「イエーイ、待ってました」豪華なリビングで講義が始まった。

「現在、20代から40代の未婚女性は全国にどのくらいいるかご存知ですか？　なんと873万人もいるんです。その中で将来、結婚したいと考えている女性が約80%。しかも、その中で7割が彼氏がいないというのが現状なんです」

妻のライバルは全国にそんなにいるのか。

「30代になると周りが次々と結婚してしまうので焦ってしまい、男性を見る目がぼやけてきちゃうんです」

「芸人も周りがどんどん売れていくと、焦って芸が荒れてくるもんな」

「そう。そのパターンです。自分に実力があると思っている程、焦りますもんね」

真っ先に江口の顔が浮かんだが声には出さなかった。

「婚活で負のスパイラル3点セットって知ってます?」

「聞いたこともない」

「出会って、交際して、別れる。この3点セットであっという間に1年が過ぎてしまうことです。30代の1年は大きいですよ。こうなると余計に焦って、恋愛することすら恐ろしくなってしまうんです」

なるほど。芸人の売れないパターンに似ている。

「今の30代女性が学生の頃、世間は就職氷河期で、何社も落ちた就活のトラウマが婚活にも重なってくるんです。結婚できないことを自分のせいではなく何かのせいにし始めるんです。ここまで説明して何か気づきません?」

「…………」

「もう、鈍いな。実力があると思っているのに売れない俺と一緒なんですよ」

江口は結婚できない女性に自分を投影していたのだ。

「結婚できなくて拗ねているのは、自分そのものなんです。俺が書いた本の〝結婚できる〟を〝売れる〟に置き換えるとすぐわかりますよ」

サインをもらおうと思って鞄に忍ばせていた本を開いてみる。

『その気になればいつでも結婚できると思っているタイプ』は『その気になればいつでも売れると思っているタイプ』になる。本当だ。少し前の江口そのものだ。

「俺も、いつも自信があるふりをしていたんです。でも、そんな根拠もなければ、努力もしていなかった……。いつか番組からオファーが来るんじゃないかとか、先輩芸人が声をかけてくれるとか、ディレクターと飲みに行けばなんとかなるとか、楽なことばかり考えていたんです」

「新人の頃からプライド高かったもんな」

「でも、間違いでした。面白いは周りが判断することなんです。三村さん、いつも言ってくれましたよね、〝才能〟って言葉は自分が言うのではなくて、第三者が使う言葉だって」

江口は婚活の講義ではなく、ネタばらしを続けた。

「『相手によって態度を変えるタイプ』も俺そのものなんですよね。人気番組に出る時とそうじゃない時、俺って態度が違ったんです。憧れの番組ではやけに愛想がいいけど、そうじゃない番組はどこかなめていたんです。これも三村さん、言ってましたよね。数字がいい番組も、そうでない番組も、客が1人の営業でも、テンションはどれも同じじゃなければだめだって。仕事に順番を付けるやつは最低だって」

江口はタワーマンションの窓の外に広がる景色を見ながら続けた。

「『結婚できないのを何かのせいにするタイプ』もそう。自分が売れないのをいつも何かのせいにしてきたんです。相方のボケ方が弱いからとか、司会者がいまいちだとか、演出が古いとか、編集が下手とか、とことん誰かのせいにしてきたんです」

「そこに気がついただけ偉いよ」

「いや、芸人だけ続けていたら絶対に気づかなかった。ある日、結婚できないことを棚に上げて愚痴ばっかり言っている女子が、自分と同じに見えたんです」

漫才が面白い、大喜利のセンスがいい、どれも芸人に必要な才能だ。しかし、本当に大切なのは人間性だ。

江口は笑顔で言った。

「この本、三村さんが番組にしたら絶対、面白いのができますよ。だって殆ど三村さんに教えてもらったことをパクっただけなんだから」

そんなことはない。江口の思いが詰まったオリジナルだ。わかりやすいし、元気の出る文章に人柄が出ている。

江口のお陰で妻の再婚相手を探す勇気が湧いてきた。番組作りと同じ本気さが大事なのだ。この先、困難が訪れても拗ねずにいこう。妻の相手となる人に楽しく妻の素晴らしさを話そう。

11月22日　余命あと123日

若い頃は、ガッツで仕事をしていたが、今は、経験則でこなしてもばれないベテランになっているのはわかっている。

でも、今回は、そんなスタンスでは絶対に失敗する。あの頃に戻り、テンションをあげていかなくては。

あるディレクターは、大物俳優に50ヵ所の坂道を全力疾走させるため、自らが坂道を全部走ったのだ。

「素人《しろうと》の僕が走っても面白いロケは、あなたがやると百倍面白くなります。すべての坂を走ったので、面白さ、やり甲斐、すべて説明できます」とキラキラした瞳で口説き実現させた。

次の会議まで時間が空いたので、局の近くにあるスターバックスで、次の作戦を練っていた。

「おはようございます。三村さん」爽やかな声といい香りがした。

いい香りの方に向くと、女子アナの徳川公恵《とくがわきみえ》が笑顔で立っていた。

「おう！　久しぶりだな」

徳川は、ついこの間まで、一緒の番組をしていたが、秋から朝番組のメインキャスターに抜擢《ばってき》された、入社5年目の女子アナだ。

「女子アナもコーヒー飲むの？」

「おいおい、飲む！　飲む！」相変わらずノリがいい。

「帰る前にお茶しながら、明日の台本を読んでました」

「帰るって……、そうか、朝番組を担当するとこの時間に帰宅するんだ」

朝の番組を担当するようになると深夜に出社して昼過ぎには帰宅するという生活サイクルになる。

「三村さんは、一人で何か考えごとですか」徳川は人懐っこい顔を見せて隣に座った。この誰にでも好かれるキャラクターで朝の番組も好調だった。彼女がすごいのは何種類もの笑顔を持っているところだ。

「どう、朝の番組は慣れた？」

「毎日、生放送するってこんなに大変だと思いませんでした。でも、楽しいんですよね」彼女は自信に満ちたオーラを見せた。

朝の番組のメインキャスターは、視聴者の一日の始まりを元気にする女神のような存在だ。自分の体調や気分が良くても悪くても同じテンションでいなくてはならない。

「でも、へこたれそうになると、いつも三村さんの言った言葉を思い出すようにしているんですよ」

「えっ、徳川にそんな偉そうなこと言った？」女子アナを前にすると緊張してしまう。

「スタッフに檄《げき》を飛ばしているのを聞いていただけですけど」

何を聞かれたんだろう……。

「クソ忙しい時は、目の前のことだけを一生懸命やれ！」

「クソ楽しいこと考えて、笑顔を伝染させたくて、この仕事してんじゃねーのか」

「出演者、制作者、視聴者が幸せじゃねー番組なんてクソだ！」

期待の女子アナがクソって3回も言ってる……。

「初めて聞いたときは、なんて熱い人だろうって、びっくりしましたけど、その言葉のお陰で頑張れてます」

徳川が聞いてたのなら、もっとお洒落《しゃれ》なことを言えば良かった。

でも、徳川の言葉は今の自分に染みた。

「三村さんは、この先どんな番組を作りたいですか？」多分、もう番組は作らない……。でも、いつも作りたい番組は同じだった。

「普通の人たちが出てる番組をずっと作っていたいかな」

「普通の人たち？」徳川はキョトンとした顔をした。

「学校帰りの小学生がロケに出くわして、カメラに少し映っただけで、興奮気味に『これ何チャンネルですか？』と聞いている姿とか、家にテレビの取材が来るとわかったおばさんが、ちゃっかり美容室に行ってたり、親子で生放送に出演して、司会者がマイクを向けたのに子供が全然、喋らなくて、代わりにお母さんが子供口調で答えてしまう瞬間とか。そんな番組が大好きなんだよね」

「そうか、作りたいのは番組だけじゃなくって、シーンでもいいんですね。でも、そういうのいいな」徳川は笑いながら頷いた。

徳川はコーヒーを飲み干すと、バッグから台本を出しテーブルに置いた。

何気なく台本のタイトルを見たとき、僕はときめいた。

表紙に「バツイチ婚活ランキング」と書いてある。

「これって、番組の企画？」

「明日放送する、婚活特集の台本です」

やっぱり彼女は女神だ。

「もしかして、バツイチのリアルな婚活情報がこの台本には書いてあるのかな？」

「ピンポン！　三村さん、婚活に興味あるんですか？」

「あるよ、あるある！」思わず身を乗り出して答えた。

「顔近いですけど……」徳川はびっくりしてのけぞった。

今の僕にぴったりの企画だ。なんとかして台本を見たい。

「ディレクターに、お前が面白い順に紹介していいよって言われたんですが、順番、迷っていて」

「ふぅーん」台本を見るチャンスだ。

「そうだ、お時間があれば、ランキングの相談をしてもいいですか」

きたつ！　僕は台本に手を伸ばしパラパラめくりながら言った。

「仕方ないな。クソ面白い構成を考えようか」

「やった、ラッキー。クソ面白くしちゃってください」

徳川は台本を開いて説明してくれた。

「まず最初は、Ｋさん40歳。中学の同窓会がきっかけで再婚されたんです。手当たり次第、独身の同級生に初恋の相手だったと言いまくったんですって。男性ってそういう一言に弱いんですね」

「なるほどね」初恋の相手作戦か……。

「続いては、Ａさん、39歳。４歳のお子さんがいます。お相手は保育園で出会ったシングルファザーです。相手のお子さんのお弁当を毎日、作ってあげて、お子さんに気に入られ再婚したそうです」

なるほど、相手の子供を手なずけたのか。

「続いてはＣさん38歳。この方は再婚するなら外資系と決めていたそうで、昼時に会社の前でお弁当を売りながら出会うチャンスを窺《うかが》っていたそうです」

「随分、ピンポイントだけど？」

「意外と外資系のサラリーマンは忙しくて、昼は簡単に済ませるみたいなんです。そこでボリュームと栄養バランス満点の弁当を販売。まさに男の胃袋を掴んだってことなんです」

みんなあの手この手で婚活をしているんだ。

「以上です。三村さんだったら、どの順番で放送します？」

「バラエティの鉄則は、面白い順。ド頭から興味深いネタで行く。それで言うと、今、説明してくれた順番でいいと思うよ」

「そうですよね」徳川は自分と意見が一緒だったらしく頷きながら言った。

「あと、3つのネタにタイトルを付けるといいよ。例えば、『実は初恋の相手でした作戦』とか『園児手なずけ作戦』とか『胃袋掴むぞ作戦』とか。なんだろうと思わせると観たくなるから」

「そのタイトル、いただきます！」徳川はニコニコ顔で台本にタイトルをメモした。なんて可愛い笑顔に似合った字なんだ。僕は笑顔とメモに交互に見とれていた。

婚活特集は数字がいいので、今後も色々な特集を組んでいくらしい。

「ちなみに、お見合いパーティ特集とか、やる予定ある？」僕は女神にダメもとで聞いてみた。

「ありますよ。今度、お見合いパーティを取材するんです。さすが、企画のライインナップまでわかっちゃうんですね」

マジか！　こうなったら、なんとか、そこに潜入したい。

「片岡《かたおか》さんから、いいお見合いパーティがあるって、売り込みがあったんです」

「片岡って、APの片岡喜子《よしこ》？」

「そうです。今、話題のお見合いパーティらしいですよ」

片岡喜子は番組のアシスタントプロデューサー《AP》で、タレントのブッキングや出演者のケアを担当している35歳の女性である。誰とでもすぐ友達になる性格で、如才《じょさい》がないタイプ、まさにAPになるために生まれてきたような人間だ。

片岡喜子ならよく知っている。これは強引にお願いしてでも、連れて行ってもらおう。今日ほど、放送作家で良かったと思ったことはない。

「どうしたんですか急に、にやけちゃって？　もしかして、お見合いパーティに参加するんですか？　えーっ、結婚しているじゃないですか。三村さん、三村さん！」

僕はニンマリしながらハーブティーを飲み干した。

昼過ぎに13階にあるバラエティフロアに顔を出すと、スタッフたちは忙しく駆け回っていた。

片岡喜子はＡＤを目の前に座らせ、収録弁当の発注のことで小言を言っていた。

「あんたね、収録の弁当、毎回、同じメニューばかりだけど、これはちゃんと意図があって発注してるの？　弁当くらい何でもいいなんて思っているんじゃないの。お弁当でスタッフや出演者を喜ばせるのも演出の一つなんだからね」ＡＤはポカンとした表情で聞いている。そんな態度が余計に片岡をいらいらさせていた。

「あのー、お説教中、すみません」

「もう、三村さんじゃないですか。今の聞いていたんですか」

「さすが、いいこと言うなって。ちょっと手が空いたら話があるんだけど、いいかな」

片岡喜子は犬のしつけのようにＡＤに〝待て〟の指示をしてすぐにやってきた。

「思い切って言うけど、お見合いパーティに連れて行ってくれないかな」

「三村さんがお見合い⁉」片岡はのけぞって驚いた。

「声でかい。リアクションもでか過ぎでしょ」

「でも、何でまたお見合いパーティなんですか。ていうか三村さん結婚されてるじゃないですか」

興味津々すぎる片岡の手を強引に引っぱり会議室に連れ込んだ。

「そうなんだけど……、勘違いしないで。変な下心があるわけじゃない。ちょっとした取材だ。話題のお見合いパーティに連れて行ってくれないかな？」

片岡によると、番組で依頼したお見合いパーティ会社の人間と仲良くなり、それ以来、お稽古事《けいこごと》にでも通うかのように顔を出しているらしい。

「はは～ん、新番組の匂いがする。わかりました、いいですよ。他ならぬ三村先生のためなら協力します」

「ほんと、助かる！」

「その代わり、企画が通ったらAPで入れてくださいよ。じゃあ、早い方がいいですよね、来週の頭あたりどうですか？」

片岡喜子はスマートフォンのスケジュール帳画面を呼び出しながら言った。

「ちょっと待って」鞄から手書きのスケジュール帳を取り出し見てみる。

「来週の頭……って、すぐじゃん」

「そうですよ。結構いい試合があるんですよ。女は美人ぞろい。男はみんな年収1000万以上」婚活女子はお見合いパーティのことを試合と呼んでいるのか。

「わかった、どうすればいい？　夕方以降なら空けられる」

「こちらから時間と場所をメールするんで、現地集合ってことで。オシャレして来て

ください ね。まあ、三村さんなら、いつも通りでも十分ですけど。それじゃお待ちしております」右手で敬礼をすると、片岡は再びＡＤを叱りに戻っていった。

人生で初めてのお見合いパーティだ。しかも、婚活中の男性を探しにいく。少しだけオネェの気分になってきた。

第三章　妻の代わりに婚活をしよう

11月24日　余命あと121日

片岡から届いたメールに書かれた場所に行ってみると、そこは、ガーデンレストランだった。

妻に代わって結婚相手を見つけるのだ。僕は深呼吸をした。

「三村さん、こっちこっち」声の方を向くとワンピースを着た大人の女性がいた。普段より数段着飾った片岡だった。

「なんすか？　なんすかあ？　見とれちゃって。私のこと好きになっちゃいそうですか？」

「顔近い。これは仕事だって言ってるでしょ」

あれ、でもメガネを外しているせいか美人度がアップしている。

「よく見ると意外と美人に仕上がってるな」

「でしょ。三村さんに褒められたらテンション上がってきた！　じゃあ、中に入りましょうか」

パーティ会場は大混雑で、既に男女が楽しそうに会話をしていた。テラスサイドで談笑している2人なんかは既にカップルに見える。

「なんか想像していたのと違ったな」

「もしかして、ねるとんパーティみたいなこと想像しました？　古っ！」

そうか、最近は違うのか。テレビでよく見るお見合いパーティといえば、「自己紹介タイム」があり、その後、気に入った相手と談笑する「フリータイム」へと続き、最後は男性がお付き合いしたい女性のもとへ行く「告白タイム」という構成だ。

「ねるとんパーティってクライマックスは告白タイムじゃないですか、テレビで見ている分には、楽しいしドキドキするけど、実際は結構、残酷なんです」

「告白した男が〝ごめんなさい！〟って相手にふられるからだろ？」

「全然、違います。テレビにも映らない、誰にも相手にされない女性が惨《みじ》めなんです。編集上は告白される女性しか使わないから気がつかないけど、折角パーティに参加したのに、誰にも告白されず、ただ列に並んでいる女性の気持ちを考えたことあります？　あの時、もの凄く惨めな気持ちになるんですよ」

ちっとも気がつかなかった。

「だから、そんなお見合いパーティを根本から変えてやろうと思って、私のアイデアを提案したら、なんと採用されちゃったんです」

「えっ、片岡発なの」

片岡はバッグからスマートフォンを取り出し自慢気に話し出した。

「私が提案した企画はこれです。参加者はみんなスマホを持っているでしょ。このハートマークのアプリをタップすれば準備ＯＫ。スマホ同士をぶつけあうとお互いの個人情報が届くんですよ。一見、普通のパーティで、誰も結婚願望丸だしには見えないけど、ここにありったけの情報が書いてあるんですよ。そして気に入った人がいたらこの告白ボタンを押すんです。相手がＯＫなら返事が返ってきて、周りに気づかれずカップルが成立。もし、ふられてもバレないし、誰にも告白されなくても恥をかくことはないんです。まあ、誰からも声がかからなければ、落ち込むのは変わりないですけど」

なるほど。いい企画だ。

「でも、僕はスマートフォンじゃないからな、どうしようか」

「ご安心を。はいこれ三村さん用」片岡はスマホを僕に渡してくれた。

「私が適当に自己紹介文を書かせてもらいましたから」

さすが、敏腕《びんわん》AP。ぬかりがない。しかし、画面を見てのけぞった……。

三村修治　年齢45歳　職業・会社代表取締役　年収1億円　都内に持ち家有　クルマ有　理想のパートナータイプ・長澤《ながさわ》まさみと書かれている。

「って、おい。何これ」

「これくらい書かないと興味持たれないんです。でも、半分は間違ってないと思いますけど」

「本当は目立たない方がいいんだけど……」

片岡は僕の言葉を聞き流し会場内へ歩き出した。僕は小走りで追いかけながら、未知の世界に足を踏み入れた。

フロアにはいくつものテーブルが点在し、その周りで4～5人の男女が楽しそうに話している。

「三村さん、どうします。あの辺にいる女子は結構、年上の男性がお好みですよ」

片岡が指差す向こうには20代後半くらいの着飾った女性たちがいた。

「ありがとう。せっかくだから適当にうろうろするよ」

「了解です。くれぐれも結婚してることバレないでくださいね。それとAPで入る件、よろしくお願いします。それじゃ」

僕はパーティの輪に溶け込んでいく片岡の背中に呟いた。

「きっちりしてんのね……」

僕は、ウーロン茶のグラスを片手に散策を始めた。お見合いパーティに参加しなくても十分、恋人ができそうな美人もたくさんいる。そんな美人に微笑みかけられると目的を見失いそうになってくる。

うろうろしていると、男の笑い声が聞こえた。かなりのイケメンだ。あのイケメンの結婚観を聞いてみたい。ここは勇気を出し談笑の輪に飛び込んだ。

「僕も混ぜてもらっていいですか」

「どうぞどうぞ」男性は笑顔で招き入れてくれた。

「それじゃ、お近づきのしるしに情報交換しましょうか」隣の女性がスマートフォンを取り出して言った。

「あっ、お願いします」なるほど、こんな感じで交換するのか。これは自己紹介の手間が省ける。僕は男性1人、女性2人と履歴を交換した。スマートフォン情報によると笑顔が素敵な男性は中島隆《なかじまたかし》40歳というらしい。

「社長さんなんですね」スマートフォン情報によると三浦孝子《みうらたかこ》32歳が言った。

「好みが長澤まさみってことは若い子がタイプですね」スマートフォン情報によると谷美和《たにみわ》33歳が言った。

「好みのタイプは忘れてください」

「私も長澤まさみさん好きですよ。この間、雑誌の表紙やっていたやつ、あれなんか最高に可愛かった」と中島は言った。

結構、面食いなのかも知れない。肝心なのは結婚観だ。よし、聞いてみよう。

「休みの日とかは何をされているんですか？」

「休みはね――」孝子が答えようとしたのを遮《さえぎ》るしかなかった。

「あの……、中島さんの休みの過ごし方を教えてください」

「えっ、私ですか」

「はい」

「聞きたい。聞きたい」２人も同調してくれた。

「月並みですが、付き合いゴルフが多いですね」

「私、ゴルフ始めたんです」孝子は可愛い仕草で話題に乗って来たが無視するしかない。

「もし結婚した場合、休日はどう過ごします？」

「また私ですか」中島はきょとんとしながら言った。

「こうしましょう。中島さんが結婚しました。子供も生まれました。小学5年生になりました。さあ、休日はどう過ごします？」

「随分、具体的ですね」孝子と美和も注目していた。

「そりゃもう家族と過ごしますよ。家族揃って夕飯なんて最高じゃないですか」

「素敵」2人に混じって僕も大きく頷いた。話題を変えようと中島が2人に話しかけた。

「料理は得意ですか？」

「勿論」「ねぇーっ」孝子と美和は、よくぞ聞いてくれました、という顔をしている。

「もし、結婚をしたら、休みの日、何を作ってくれますか」中島は続けざまに聞いた。

「私はスペイン料理を作っちゃおうかな。スペイン風オムレツに、魚介類の陶板焼きに、イベリコ豚のスペアリブに、締めはパエリア」

「凄い。そんな料理が食べられるなんて、すぐ結婚したくなりましたよ」

「ホント？　嬉しい」「ずるい、私もスペイン料理覚える」２人は中島の腕を取りながら盛り上がっている。

「それはどうかな？」思わず口を挟んでしまった。一斉に３人がこちらを見た。

「どういうことです、三村さん？」僕の中の一言多いスイッチが入った。

「断言します。日曜の食卓にスペイン料理が並ぶことはない。もし、仮に並んだとしたら、それはデパ地下で買ってきたお惣菜をお洒落なお皿に載せただけのことです。いいですか、普段、子供の世話やら家事をしている主婦がですよ、たまの日曜日にせつせと夫のために料理するなんて信じられますか。そんな夢みたいな話を真に受けちゃダメだ。だからといって、結婚して、夕食にスペイン料理が食卓に並ばないことに腹を立ててはいけない。日曜日の晩飯はよくて鍋ですよ。野菜をザクザク切って、ロース肉をパックから出して放り込むだけの鍋。冬場は毎週、鍋といっても過言じゃない。僕は結婚を否定しているわけじゃない。確かにいいものです。でもね日曜日の食卓に期待しちゃダメだ！」３人の目が点になっている。

「なんてね……」慌てて戯《おど》けてみせるがもう遅かった。なんてことを言ってしまったのか。

「面白い、三村さんの結婚観。なんかリアルさを感じます。もっと聞かせてください」２人の女性も頷いた。やばい、趣旨が変わってきている。今夜は妻の結婚相手を見つけるために来たのに。

気がついたら周りに人が集まりだしていた。見知らぬ背の高い男が質問してきた。

「結婚して、家庭に安らぎを求めるというのは間違いなんでしょうか」周りがざわめいた。

「えっ、家庭に安らぎを求めちゃダメなのか」

「私は夫を癒《いや》すつもりでいるけど」

結婚を夢見た男女が口々に理想を口にする。現実を伝えなくては。静まったところで僕は口を開いた。

「あのね、結婚生活に安らぎなんて求めちゃダメです」また、周りがざわめいたが続けた。

「男は外で様々な役を演じる分、せめて家庭くらいは妻に癒されたい。なんて思っている人が多いけど、それは大きな間違いです。家庭こそ演じなきゃ。気を抜いちゃいけない。家のドアを開けた瞬間から演じないと。戦隊ヒーローも変身しないと怪獣に勝てない。癒されたいという理由で結婚したら後悔しますよ」興奮して我が家のことを言ってしまった……。まあ、こうなったら、いいかっ。

「僕は夫婦でワインを飲みながら、ＤＶＤとか観るのが夢なんです」七三分けの男性が言うと、男たちは頷いた。

「そんなこと思っている時が幸せだったな。一緒にお酒を飲みながらテレビを観ていると、妻が『これってどういうこと？』可愛い声で質問してくる。それに対して答えちゃダメ。『これはね』と丁寧に答えようとしたら『しーっ、黙って、今いいとこなんだから』と言われる。あっちから質問したのにですよ。こっちは言葉を失い、妻の横顔を見ながら固まってしまうけど、夫婦水入らずによくある光景です。でも、そんなことで落ち込んではいけない」

「まさか」「信じられない」という声が飛び交う。

「結婚すると女の勘が冴《さ》え渡るって聞いたんですが」

「冴えるなんてもんじゃない。瞬《まばた》きしただけで何を考えているか当てられたりもします。次！」

「休みの日、家にいると煙たがられるなんて嘘ですよね」

「本当です。床でゴロゴロしながらテレビを観ていると掃除機で吸われることもあります。次！」

「女性は結婚すると違う生き物になるって本当ですか」

「宇宙人が乗り移ったみたいに別人になります。次！」

僕は質問に次々と答えた。中には、単なる恋愛相談をしてくる男性もいた。

「相手の嫌な一面を見た時、別れるべきか我慢すべきか迷ってしまうんですが、何か判断する方法はないでしょうか？」

「そんなのは簡単です。相手の嫌なところをコントにできるなら、それは笑える範囲なので我慢しましょう。もし、コントにできないと思ったら、すぐ別れた方がいいです」

「コントにできるかか……」質問した男は手帳にメモを取って聞いていた。

「もっと僕の話が聞きたい人は連絡先を交換しましょう。僕とバンプしたい男子！」

男たちは次々とスマートフォンを差し出してきた。ざっと20人分の連絡先が手に入った。期せずして何人もの独身男性の情報を得ることができた。

「ちょっと三村さん。何をしてるんですか」

僕は片岡に腕をつかまれその場を後にした。

「なんか三村さんのところ、やたら盛り上がってましたけど、ちゃんと取材できましたか」

「お陰でかなりの収穫があったよ」

「よかったですね」

僕たちは会場を見渡せる席に移動して飲み直すことにした。片岡は少し酔っていた。

「もしかしたら、奥さんと離婚して、新しい出会いを求めに来たのかなーなんて、少しだけ期待しちゃいましたけど、やっぱり仕事だったんですよね」

パーティは終盤を迎え、至る所で男女が恋の種を育てていた。片岡が考えたスマートフォン企画がスマートに恋を演出している。

「みんな、いい感じじゃないか」

「私が考えた企画なのに、ちっとも自分の役に立ってませんけど。あっ、また来てる。あいつ、お見合いナンパ師なんです」

片岡の言う方向を見ると、サングラスをした男が、一人で飲んでいる女性を狙って声をかけていた。

「お見合いナンパ師。なにそれ？」

「婚活する気なんか全くない、このシステムを巧妙に利用して手軽に女性と知り合うことだけが目的の男なんです。別に金銭をだまし取ったりしないし、ルールに違反しているわけじゃないから取り締まろうにも取り締まれないんです」

なるほど、そんな目的の男もいるのか。

「片岡も気をつけないと」

「私は絶対に大丈夫です。こんな仕事しているから男を見る目だけは肥《こ》えているんで。でも、それが仇《あだ》になってなかなか理想のレベルも高くなっちゃって」

「そのうち、きっといい人が現れるよ」

「三村さんが独身だったらな……」

「一つ聞いていい。片岡は結婚する気はあるの」

「バリバリありますよ」

「自分は、どんな男性と結婚したら幸せになれると思う？」

「まず彼氏を捕まえなきゃって思っていたから、考えたこともなかったです」

「じゃあ、自分が幸せになれると思う、男の条件を何個でもいいから言ってみて」

「そうですね」片岡はワイングラスを揺らしながら考えていた。

「とりとめもなく言いますよ、お金と容姿はそこそこでいいです。あと仕事が好きな人、ご飯を美味しそうに食べる人、面白い人、ケチじゃない人。……なんか、いざ考えるとありきたりなことしか思いつかない」

「逆にこんなヤツはダメっていう条件は？」

「それなら山ほどいます。〝開き直っているわけじゃない〟って前置きをして開き直る奴、自分を肯定することばっかり考えてる奴、大物に弱い奴、目立ちたがり、いつも目標を下回る奴、疑り深い奴、夢を語ることに慣れちゃって実現しない奴、打ち合わせでわかったふりして本番で実力を発揮しない芸人、視聴者と向きあわないタレント、準備不足なディレクター……まだまだ出てきますけど」

「相当、仕事にストレス抱えてない？」

「わかります？」

「悩み相談には今度乗るとして、今、言った条件をクリアする男を探すのって、大変だと思わない？」

「はい。こんな条件をクリアする人なんて、なかなかいないと思います。なんでこんな質問したんですか」

「今の条件をクリアする相手を探すんじゃなくて、条件に共感してくれる人が見つかれば、きっと幸せになれるよ」

しばらく頭の中で整理して片岡は言った。

「そうか、なるほど。すっきりしました。考えてみたら仕事もそうですよね。仕事も価値観が一緒のスタッフとは上手くいくもんな。でもさ、いい男はみんな結婚してる～っ」そう叫んで白ワインを飲み干した。酔った片岡の横顔は美しかった。如才がないのも彼女の良さだが、こんな顔をもっと見せるといいのに。きっと、男たちは恋をする。

それにしても、いろんな女性たちが結婚に向かって歩き出している。その道すがら、向かう方向が一緒の相手が見つかると、その先に幸せが待っている。

妻にもそんな相手が見つかるだろうか。

気がつくと片岡は寝息を立てていた。店内に流れるＪＡＺＺが子守唄のように聞こえた。

夜中、仕事部屋で、お見合いパーティでゲットした情報を整理していると、見えてきたのは厳しい現実だった。どの男性も結婚に焦っていない分、理想が高い。

女性の年齢も最高で30代前半が当たり前で、離婚歴ありや子連れとなると全滅になってしまう。

折角、20件以上も独身男性の情報をゲットしたのに……。宝くじが一つも当たっていなかった気分だ。

もし、相応しい候補者が見つかっても、断られ続けたらどうしよう。そんな不安が過《よぎ》る。

日本昔話にあった「ねずみの嫁入り」を思い出した。

お話では、ねずみは世界一強い者を娘の婿に迎えようと、お日様の所にいくが、雲の方が強いと断られ、雲の所にいくと風の方が強いと断られ、風の所にいくと壁の方が強いと断られ、壁の所にいくとねずみの方が強いと断られる。結局、あれこれ迷っても身近で平凡な所に幸せはあるという教訓なのだろうけど、いく先々で断られ、たらい回しにされた娘の気持ちを考えると辛くなってくる。

妻にはねずみの娘の気持ちを味わわせたくない。

12月12日　余命あと103日

仕事部屋で3日後に収録を控えた年末特番の台本を書き、ディレクターにメールする。お見合いパーティがだめだった今、次の手を打たなくては。

もしかしたら、案外、近いところに結婚相手がいるかもしれない。

さっきまで書いていた台本に目をやると、ある芸人の名前が飛び込んできた。特番の司会者、今原《いまはら》たけしだ。そうか。芸人はどうだろう。

今原たけしは今年40歳になる芸人でもちろん独身。若手の頃から、女性関係の噂もない、芸事一筋の男である。よし、収録に顔を出してみよう。

12月15日　余命あと100日

3日後、年末特番の収録があった。楽屋を訪ねると、今原は、くつろいでいるところだった。幸いマネージャーもいない。僕は寝起きリポーターのようにそっと声をかけた。

「おはようございます」

「どうしたんすか、三村さんじゃないですか。収録に顔を出すなんて珍しいですね」

「大事な収録だから、いてもたってもいられなくて……」

「そんなコメント、信じませんよ」

でも、本当にこの特番の収録には顔を出そうと思っていた。この年末番組は「特命ボラバラ」といい、ボランティアとバラエティを合体させた造語だ。バラエティで世の中を楽しくしようというのが意図の番組だった。今回は特にディレクターの石井《いしい》という若手が感動するＶＴＲを作っていたので、今原に、その頑張りを伝えようと思っていたのだ。

「そうですか、今回は石井の力作なんですね。わかりました、全力で盛り上げます」

収録の話をそこそこに済ませ、結婚話を切り出してみた。

「今原は、もう40越えたでしょ。そろそろ結婚なんて考えてないの？」

「なんですか、今度は結婚の話ですか、誰かいい人いないですか」

「えっ、する気あるの。……結婚する相手はやっぱり芸能人？」

「いやいやいや、勘弁してくださいよ。それは絶対にないです。パートナーになる人は普通の人がいいです」

マジか。

「逆に芸能人じゃなかったら誰でもいいくらいです」

これはいいかもしれない。

「でも、年齢制限とかあるんでしょ」

「いや、特に」

「同じくらいの年齢でも」

「全然、問題ないですね。ほんと、そういうのは気にしないんですよ」

「なんかあるでしょ」

「この年になると、人を見る目も少し、かわってきたんですよ。要は価値観が同じ人の方が幸せになれると思うんです」

おーっ、きたー。きっと今原くらいになると、若い子だと、話が合わないのだ。

「でも、なんで結婚したいと思うようになったの」

今原たけしはタバコに火をつけた。こうやってみるとやけに貫禄《かんろく》もついている。芸歴も20年以上だし、実力もある。今後、テレビタレントとして楽しみな存在でもある。これまで何度も仕事をしているが悪い評判も聞かない。

「そこなんですよ」

どうぞ、どうぞ。何でも言ってください。

「三村さんも知っていると思うんですが、僕ってゲイじゃないですか……」

パードゥン？

「このまま一人で生きていこうかなんて思っていたんですけど、なんか将来を考えると、一緒にいてくれるソウルメイトみたいな存在が欲しくなってきたんです」

「なるほどね……」初耳過ぎる話に僕はうろたえていた。

「誰か、いませんかね。いい人」

「それって、やっぱ男だよね……」

「います？」

僕は急用を思い出したふりをして楽屋を出た。ふーっ。話がうま過ぎると思ったよ。


「あれ、三村さん！」声を掛けてきたのは若手芸人の春日部《かすかべ》だった。ライアンという漫才コンビのツッコミ担当である。春日部の趣味は貯金、好みのタイプは熟女という。四十路《よそじ》が近い妻にとってはありがたい条件である。今原たけしの件がトラウマになる前に、次の球が来たら打つ。

「久しぶり。活躍しているね。前説をしていた頃より数段腕を上げたし」

「うぃっす！」春日部は嬉しそうにこたえた。ちなみに〝うぃっす！〟とは春日部の持ちギャグである。結婚を軽く考えているわけではないが、意外とこんな出会い頭で結ばれる方が上手くいくかもしれない。

「ねぇねぇ、春日部は熟女が好みだよね」

「そうですね」

「じゃあ、結婚の対象も」

「熟女うぃっす！」

「なるほど」

「どうしたんですか」

「熟女っていうのは、上は何歳くらいまでＯＫ？」

「そうですね、最低でも50歳以上からですかね。最近は50でも若いかな」

「えっ、それ以下は？」

「無理ですな。そこは絶対に譲れないラインなんですよ。それが、どうかしました？」

「いや、大丈夫」

とりあえず芸人を候補にするのはやめておこう。もーっ、芸能人のばかっ。僕は目に涙を溜めながらテレビ局をあとにした。

12月18日　余命あと97日

とうとう余命も１００日を切ってしまった。テレビ界は年末年始特番の収録がピークを迎えていた。局内ではスタッフが忙しく走り回っているのに、一歩外に出ると、街は恋人たちに占領されていた。局の敷地内にあるイルミネーションの前で、恋人たちは写真を撮りまくっている。

そんな光景を見ながら僕は局の喫茶店である人物を待っていた。最近、妻と同世代で結婚を果たしたプロデューサーの山田《やまだ》みどりだ。

山田は美人だが、鼻が高いせいか、どこか威張って見える。若い頃から、男のディレクターに負けまいと頑張ってきた分、結婚には縁がなかった。そんな山田はどうやって結婚したのか？　そこになにかヒントがあるはずだ。

エントランスの人ごみの中から、山田が現れた。イルミネーション前のカップルほどではないが、幸せで輝いているように見えた。

「すまん、こんな忙しい時期に呼び出しちゃって」

「もう毎日、ブッキングでバタバタ。うちの班って、もともとタレント番組が少ないから、こういう特番時期、旬の芸人のブッキングに苦労するのよね」

この時期、プロデューサーはタレントのスケジュールの奪い合いである。特に、今年ブレイクした芸人を押さえるのは至難の業だ。ブッキングできるのは、売れない頃から面倒をみていた番組か、タレントが大勢出る番組くらいである。

「ねぇ、なんかいい企画ない？　局長が春の特番企画書をよこせって。どっか会議する時間ない？　そんなに拘束しないから」

拘束しない……、絶対、嘘に決まっている。

山田のことをもう少し説明すると、拘束しまくる人物でもある。僕も何度、ウーロン茶1杯で夜明けまで監禁されたことか。

「わかった、時間作る。ところで新婚生活はどう」

「なに急に」

「いやいや、どんな幸せな生活を送っているのかな、と思って」

「また何か企画考えているんでしょ。なに、なに、言いなさいよ」

「披露宴もしないで電撃入籍したから、気になってんだ」

「披露宴はするよ。あと5キロダイエットしたらだけど」

「ダイエット？」

「着たいウエディングドレスが合わないの」この感じだとダイエットに成功してウエディングドレスを披露する頃にはもう生きていない。

「本当は、なにを聞きたいの」

「どんな作戦で結婚までこぎ着けたのか興味があってさ」

「その〝作戦〟とか、〝こぎ着けた〟とか、なんかムカつく言い方なんだけど。はは～ん、コントのネタ探しでしょ」

「実はさ、大人の女性をターゲットにしたファッション誌から話があってね……」

「なに、なに。雑誌ってどこ。ドマーニ？　ストーリィ？」

「うーんと、マキアートだったかな」咄嗟《とっさ》に喫茶店のメニューを見て言った。

「ん？　聞いたことないけど……」こうなったら嘘で塗り固めるしかない。

「大人の女の輝くウエディングストーリーって企画で、美人の女性を紹介してくれって言われて、真っ先に山田が浮かんだんだよ」山田は、まんざらでもない顔で微笑んだ。

「そういうことなら協力しないとね……、時間大丈夫？　少し長くなるよ。私が結婚スイッチを入れたのはね～」

咄嗟《とっさ》の嘘が呼び水となり、結婚にいたるまでを聞けたが、自慢も入れると話は2時間にも及んだ。

使えそうな部分をまとめるとこうだ。

山田が婚活を始めたのは今から1年半前。驚いたのは婚活のスイッチを入れた出来事だった。

年齢より10歳は若く見られることが自慢だった山田は、プライベートでは20代後半で通していた。行きつけの美容室でも顧客カードにも堂々と12歳下（※干支は同じ）の生年月日を書き込んでいた。番組だったら完全なやらせだ。

ある日、美容室でパーマをかけていたとき、事件は起きた。新入りのアシスタントが「雑誌をお取り替えしま〜す」と数冊のファッション雑誌を持って来た。その雑誌がなんとすべて40代のミセスものだったという。プライドの高い山田はこのことに愕然。慌てて他のアシスタントが若めのファッション雑誌を持って駆けつけたが、山田の形相《ぎょうそう》を見て引き返したという。ここで、今まで20代だという嘘を信じていたのは周りではなく自分自身だったということに気づいたのだ。

この事件がきっかけで、婚活のスイッチが入ったという。

しかし、辺りを見渡すと殆どが既婚者。独身は年下の部下だけという事態に気づいた。

その気になれば結婚なんてすぐできると思っていたのに、周りにいる男性の9割が婚活対象外。

かなり寝過ごした眠れる森の美女は、飛び起きて婚活に突き進んだのだった。

ここからの山田は凄かった。出会うチャンスがないなら、自分で作るしかないと、起業家とお金をテーマにした番組を立ち上げてしまった。

しかも、ある結婚相談所の凄腕女社長と手を組み、イケメン起業家を片っ端からリストアップさせた。自ら取材にも出向き、趣味、年収、結婚観などをスコップが岩盤にコツンと当たるくらい根掘り葉掘り聞き出し、理想の相手を探した。その甲斐があって10回目の収録に来た起業家を結婚相手にロックオン。そこから、番組作りと同様に、相手を拘束しまくり、たちまち結婚までこぎ着けた。

「もう大変だったわよ。その気になればいつでも結婚できるってことを証明するのが」

そこ、こだわってたのね……。

「すごい。でも、よかったな」

「婚活に費やしたガッツは番組作りと一緒だな」

ふん。山田は鼻で笑うと少し真剣な顔で言った。

「こんだけ強引になれたのは、三村さんのお陰なんだ」

「お陰って、何かした？」

「私に、テレビの作り方を教えてくれたのは三村さんなんです。だから、それに則《のっと》って婚活しましたら、結婚できたであります。ありがとうございます」山田は軍人のような口調でおどけてみせた。

そして、心の内を語りだした。

「私がディレクターだった頃、周りが男だらけで、なんか女ってだけでバカにされているような気がして、いつも、この男たちには絶対負けないって思いで番組を作っていたの」

バラエティは面白いVTRを作ったディレクターがヒーローになれる。よく、カメラの後ろでスタッフの笑い声が聞こえるのも、少しでもロケが面白くなるようディレクターがわざと大笑いしている。山田も一人部屋で笑い方の練習をしていたという。

「だから自分の作る番組って、対抗意識むき出しの挑発的なものばっかだったのね……」

確かに女性のディレクターがバラエティで活躍するのは大変なことだ、その中で山田はいつも闘っていた。

「そんなとき、三村さんの言葉がズキンときたの」

何のこと……。

「私がある芸人に意地悪なドッキリを仕掛けて、そのVTRを三村さんに観てもらった時、怒られた一言。あれは染みたな」

あのプレビューの時のことか。

「このVTRを観て誰か得するやつはいるのか。どんな番組も、お茶の間をイメージして作れ！　って言ったの」

そのVTRがあまりにも視聴者を置き去りにした内容だったのは覚えている。

「自分は、どんな番組もお茶の間をイメージしながら作っている。お昼の人気生放送は、風邪を引いて学校を休んだ中学生がこっそりテレビを観ている姿を想像している。家の人が出掛けて、少し後ろめたい気持ちの中学生が『風邪で学校を休んで得した』って思えるような番組を作っているって言った時、この人、スゲーなって思ったの。そうだ、覚えてる？　飲み会で三村さんに、私がどんな番組を作りたいかって聞いた時のこと」

急に恥ずかしくなってきた。

「他の放送作家は、大物タレントと仕事がしたいんだとか、ブームを作りたいとか、そんなのが多かったんだけど、三村さんは、違ったんだよね」

相当、恥ずかしいことを言っていそうだ。

「夏の炎天下に、ママチャリに子供を乗せて買物行ったり、パートに行ったりして頑張っている主婦が、何もかも忘れて大笑いできるような番組を作りたい！　って言ったんだよ。私、あれを聞いたとき、この人には絶対、敵《かな》わないなって思ったんだ」

「…………」

「だから、私も結婚なんか諦めているおばさんたちのために一生懸命番組を作ったら、自分が運良く結婚できちゃったってわけ……。ちょっと強引？」

正直、かなり強引に聞こえた。

でも、山田みどりに見習うところは、本気であるというところだ。制作者の本気な姿勢からいい企画が生まれるのだ。

そして、驚いたのは山田が手を組んだ女社長は、CMにバツイチ女優を起用した、あの結婚相談所の社長だった。なんでも、その女社長はメディアに一切、姿を出さないという。何か縁を感じる。会ってみたい。

「なあ、結婚相談所の女社長を紹介してくれないかな？」

「なんで？」山田はとぼけた顔をした。

「話を聞いていたら、今、進めている企画にぴったりの人物なんだ。会わせてくれないかな。お願い、一生のお願い！」余命が近づいているから、まさに一生のお願いだ。

「でも、その社長、メディアの取材は受けないわよ」

「わかった。表に出すようなことにはしない。ある人の結婚相手候補を探してもらいたい。とにかく時間がないんだ」

「……もう、仕方ないな。これから言うこと、絶対に誰にも言わないでね」

「ああ、言わない」

「実はね、その女社長って……知多《ちた》さんなの」

「知多さんって、あのリサーチャーの知多かおり？」

「そう」

　知多さんとは、調べものの達人で、歩くウィキペディアみたいな人物である。

　普通、リサーチといえば、最近の流行を調べるのが仕事だが、知多さんの場合は、そんなレベルを遥かに超えている。政治、経済、法律、医学、歴史などのあらゆる分野に明るく、何を聞かれても、スラスラ答えられるまで調べ上げてくる。そんな知多さんの裏の顔が、結婚相談所の社長だったとは。

「私もびっくりしたわ。結婚相談所に企画書を送ったら、いきなり、知多さんから連絡があって、私が社長ですってカミングアウトされたんだもん」

「なんでまた、結婚相談所を始めたんだろう」

「それは本人に聞いてみたら。とにかく、知多さんなら条件にぴったりの相手を探してくれるから」

「わかった。知多さんに一日も早く会いたいと伝えてくれ」

あの知多さんのリサーチなら、こんなに心強いことはない。

「その代わりつないだら企画会議させてよ」

「了解」

カフェに一人残り、ぼーっとしていた。

そして、妻の結婚相手探しにテレビの仲間たちが次々と絡んでくる不思議な縁を感じていた。

12月20日　余命あと95日

僕は局の喫茶店でディレクターの奥川圭介《おくかわけいすけ》を待っていた。奥川は病気をドラマ仕立てで教えてくれる医療バラエティの総合演出をしている。毎週、患者さんに混じって順番待ちをし医者に取材するので、どんどん病気に詳しくなっている。最近は、話し方まで医者っぽい。

そんな奥川に、この病気はどんな風に進行していくのか、どうすれば病気がバレないのかを聞き出そうとしている。勿論、僕自身が病気であることは隠してだ。

人波の中から小走りの男が現れた。奥川だ。

「どうした、急に呼び出したりして」席に着くなり奥川は話しだした。

「悪かったな。特番で、忙しいんだろ」

「ああ、人間ドックスペシャルの収録が明日なもんで、3日も家に帰ってないよ」このスペシャルは、視聴者が家庭で自分の健康状態を手軽にチェックできることで人気を呼んでいる年末の恒例企画だ。この特番に出たお陰でガンを早期発見したタレントもいる。

「今回も『ガンがわかるチェック』が売りなんだ。例えばさ」奥川はマッチを出し、火をつけた。「この火を、腹に力を入れてハッと声を出しながら吹き消してみろよ」

いきなりチェックが始まるなんて。もしかして、病気がバレてしまうかもしれない。僕は思いっきり息を吐いた。

「おっ、消えた。ということは肺ガンの疑いはない。まあ、こんな感じのチェックが目白押しだ」

ふうっ、よかった。

「ところで聞きたいことってなんだ」

「今日は、ある病気について教えてほしいんだ」奥川は身を乗り出してきた。

「どんな病気だ？」

「お前、すい臓ガンに詳しいか」奥川はニヤリとしたあと、ゆっくりと話しだした。

「すい臓は別名、暗黒の臓器と呼ばれ、すい臓ガンは早期発見がとても難しい。CTや超音波でも見つからないことがある。また、すい臓を通過しインスリンを混入させる血管が全身にガンを運ぶので転移もしやすい。すい臓は神経が集中している臓器なので手術も難しく、術後も5年以内に転移が発見される場合が殆どだ。だから、自覚症状が出たときは手術も手おくれになってしまう病気だ。まあ、これくらいしか知らないが」

詳し過ぎる……。お前は医者か。

「なるほど。随分、厄介な病気なんだな」

「誰か知り合いがすい臓ガンになったのか？」

「そうなんだ。奥川の言う通り、もう手術は無理らしい」

「ってことは、ステージ4以上だな。多分、転移も進んでいる」

「ステージ4と診断されて、そのまま入院もせずにいたらどうなる？　見た目でわかってしまうものなのか？」

奥川は黙って僕の顔をじっとみている。やばい、バレたか。

「ひょっとして、お前、まさか……」

ギクッ。見る人が見れば、見た目でわかるのか。すべてお見通しなのか？

「病気で新番組考えているんじゃないだろうな？」

えっ？　そこ疑ってたの？

「違う違う……。あくまでもプライベートの話だから、心配しないで」

「でも、今、お前が言った話、クイズにすると面白いかもしれないぞ」

「なにが？」

「患者の症状を見せて、なんの病気かを当てる病気クイズだ。いい企画を聞いた。お前がやらないなら、今度、俺の番組でやってみよう。いいよな」

……こいつ、病気にはまり過ぎだ。

「どうぞ、どうぞ。こんなのが企画になるなら、使って使って」

奥川はカフェのナプキンに病名当てクイズと書いてポケットにしまった。

「じゃあ、なんでそんなこと聞くんだ。医者に聞いた方が正確なアドバイスをしてくれるぞ」奥川は言った。

「その知り合いは、入院せずにやり遂げたいことがあるらしい。だから、周りに病気のことを隠している。やっぱり、見た目で病気がバレてしまうことはあるのか」

「ステージ4だと、まだ見た目ではわからない。但し、もっとガンが進行したら、インスリンが分泌《ぶんぴ》されにくくなって、糖尿病を併発したら激痩《や》せする。そうなると病気であることは一目瞭然だ」なるほど、末期はどんどん痩せてくるんだ……。

「それでも、病気を隠す方法はあるか」

「うーん。難しい質問だな」

「そこをなんとか。お前の医学知識とテレビマンの発想で考えてくれ」奥川はコンマ1秒ほど嬉しそうな顔をした。

「ダイエットっていうのはどうだ。無理なダイエットをして痩せたという設定は」

「無理なダイエットって？」

「炭水化物を一切取らず、野菜だけの食生活をしていると言うんだ。そうすれば体重が激減したって理屈は通る」

「なるほど。さすがだ」

「でも、その知り合いは、何をやろうとしているんだ。俺だったら、一刻も早く入院するけど。だって」

奥川はコーヒーを飲み、ため息をついた。だって、なに？

「いよいよ末期になると黄疸《おうだん》も出る。そしたら……」

そしたら、なに？

「背中に激痛が襲ったりもするんだぞ」

そうなの？　目の前にいるのが本人で、ビビっていることも知らずに奥川はまくしたてた。

「だだっ、だよな。絶対に入院するべきだよな。わかった、説得してみるよ。ありがとう」

奥川はコーヒーを飲み干すと、スタッフに電話をしながら人波へと消えていった。

僕は背中に痛みはないか確認しながら、奥川を見送った。

彩子は家事と子育てを全面的に担当している。それは修治が殆ど家にいないからだ。少しくらいは分担してくれてもいいのになと思うけど、修治は手伝う素振りさえ見せない。

普段は歌うことだけに徹しているバンドのヴォーカルが、曲によってはギターを弾きながら歌っているのを見ると「ほら、この人だって、分担してるじゃん」と画面にツッコミを入れたこともあった。

今朝も玄関に置いてあるゴミの入った袋をまたいで仕事に出掛けていった。これ見よがしにゴミを置いておけば、普通は手伝うでしょ、と思うのだが、修治は悪気なく気づかないのである。

「おい、ちょっと待った。今、修治がまたいだの、何かわかる?」

「生ゴミ? 燃えないゴミ?」

「そういうことじゃなくって。あのさ、ゴミ袋が置いてあったら、捨ててあげようとか思うんじゃないの?」

修治は、そういうことね、という顔をしてゴミ袋を持とうとするが、重くて持ち上げられないふりをした。その様がコントを演じるコメディアンみたいに面白く、彩子は吹き出してしまった。そして、彩子が笑っている隙に、ゴミ袋を置きっぱなしで、出掛けてしまった。

「ホントにもう! ちっとも役に立たないんだから」彩子は玄関に向かって文句を言った。

修治が少しでも不機嫌な顔を見せようものなら、こっちも今までの文句を百倍にして返してやろうと思っているが、どうにもこうにも毎日、楽しそうなのである。

「やれやれ、うちには子供が2人いる」彩子はサンダルを履きゴミを捨てに行った。

その後、彩子は修治に負けまいと楽しんで家事をこなし、食卓で一人遅めの昼食をとっていた。

ラーメンを口に運びながら、中学の偏差値が書かれたプリントを見ていた。

なぜ息子が中学受験を決めたのかはわからないが、親の見栄で学校を選ぶことだけはしないぞと心に決めている。

「なんだか結婚相手を選ぶのに似てるな……」気になる学校名にアンダーラインを引きながらつぶやいた。

自分は、どうして結婚相手に三村修治を選んだのだろう。独身時代はそれなりに恋人もいたが、その延長線上に結婚が待っている気がしなかった。しかし、修治と出会ってからは恋愛とは違う感情がどんどん大きくなっていった。

大学の写真学科を卒業した彩子は、世界中の写真の権利を管理する小さなエージェントに勤めていた。そこにある日、修治が写真を借りにやってきた。名刺に放送作家とあるが、どんな仕事なのかわからない。修治は資料室に籠もり、何時間も写真を選んでいた。それが2人の出会いだった。

長時間かけて修治が選んだ写真はどれも奇妙なものばかりだった。アフリカの民族が下唇に大きな輪をはめて笑っている写真、南米の有名サッカー選手が審判に猛抗議をしている写真、乗客が車両の屋根にまで乗っているインドの列車の写真、白人の子供がソフトクリームを落として大泣きしている写真……。この共通性のない写真を修治は嬉しそうに眺めていた。

「これは、何に使うんですか？」

彩子が聞くと修治は「写真で一言です」と答えた。写真で一言？　生まれて初めて聞く言葉を、修治はさも当たり前に使いニコニコと笑っていた。

「いやー、どの写真もパンチが利いてる！」

パンチが利いている？　そんな言い方で写真を褒める人に初めて出会った。

それから修治は何度も写真を借りにくるようになった。そして、いつも借りていくのはパンチの利いた写真だった。

彩子も次第に修治のために写真をピックアップしておくようになった。

修治から交際を申し込まれたのは彩子が選んだ一枚の写真に修治が大爆笑した日のことだった。

彩子が選んだのはあるイタリアの恰幅のいいオペラ歌手が渾身の力を込めて熱唱している写真だった。その写真を見るや否や修治は大笑いした。

「これは今までで一番パンチが利いている！　彩子さん、大喜利のセンスありますね」どの部分を褒められているのかはわからなかったが、人生でこんなに人を笑わせたのは初めての経験だった。なんだか彩子は嬉しさがこみ上げてきた。

これをきっかけに2人は付き合うようになった。修治は会う度、テレビの話ばかりをした。

この日から彩子の生活で笑う回数がどんどん増えていった。バラエティ番組を観るようにもなっていった。でも、彩子は修治の話の方が好きだった。

修治はユーモアの塊のような人だった。プロの芸人の笑いではなくユーモア。この人が喋り出すと周りの空気がポッと変わる。空気清浄機みたいな人だなと思った。

「トムとジェリーって知ってる？」

猫とねずみが喧嘩ばかりしているアニメでしょ、と彩子は答えた。

「あのね、トムとジェリーの喧嘩はほとんどいつも家の中で起きているんだ。毎日、自分たちでテンションを上げて、工夫して、人生を楽しんでいる。決してどっちも飽きたりしない。それって凄くない？」

この人と一緒だと、どこにいても、たとえ賑やかな遊園地に行かなくても楽しめそうな気がした。

修治はいつも、ひょうひょうとした顔で話し出す、そして、その話には最後に思わずにんまりしてしまうオチが待っている。

電車に乗った時、車内はほぼ満員で、そこに赤ちゃんを抱いた母親が乗っていた。虫の居どころが悪いのか、赤ちゃんが急に泣き出した。母親は必死にあやし続けるのだが一向に泣き止まない。乗客たちの迷惑そうな顔に対し、母親は困り果てていた。

その時、修治は周りに聞こえるように大きな声で言った。

「いいぞ！　赤ちゃんは泣くのが仕事だから。じゃんじゃん泣いていいんだよ！」

赤ちゃんの泣き声は止まらなかったが、周りの迷惑そうな空気が一気にほんわかした。そして不思議と赤ちゃんの泣き声がどこか頑張っているように聞こえた。

彩子はこの時、心の中で強く思った。

「この人とずっと一緒にいたい」

1月15日　余命あと69日

あっという間に12月が過ぎ、新年を迎えた。まだ妻の結婚相手は見つかっていない。そんな最中、明日、後輩の放送作家の結婚披露宴がある。誰かのめでたい門出《かどで》に立ち会えるのはこれが最後かもしれない。

新郎は放送作家の中野《なかの》光聖《こうせい》。30代若手で最も忙しい男だ。夏くらいに番組で知り合った制作会社のプロデューサーと電撃結婚が決まり、急遽《きゅうきょ》披露宴を行うことになった。

家に帰り、リビングを覗くと、今日も妻と息子は真剣な顔で勉強していた。

「ただいま」

「おかえり」

妻は一瞬でこたえ、すぐ勉強を続けた。集中している。こんな時の妻はとにかく近寄りがたい。余計なことを聞くのはやめておこう。例えば、結婚式に着ていくスーツが、祝儀袋が、どうしたこうしたとかだ。

部屋着に着替えようと寝室に行くと、クローゼットの扉にスーツがかけてあった。ジャケットの内ポケットには紅白の水引のついた祝儀袋が入っていた。

自分には全く関心がないと言いながら、妻としての仕事はきっちりこなす。こういうところが凄いんだよな、この人……。

何年も前に買ったスーツに袖を通しながら、思った。そういえば、妻と誰かの披露宴に出たことがなかったな。一緒に出席してみたかったし、仲人っていうものを一度経験してみたかった。

鏡には少し痩せて、サイズが合わなくなったスーツを着ている自分が映っていた。


翌日、1月の東京の空は晴れ渡っていた。結婚日和だ。披露宴はレストランを借り切ったものだった。

会場に行くとほとんどがテレビ関係者で、久しぶりに会う放送作家やディレクターたちもいた。

「三村さん、お久しぶりです」声をかけてきたのはディレクターの渡部《わたべ》だった。

「新郎は緊張してる?」

「今、控え室で動物番組のナレーションを書いています」当日も仕事か。放送作家冥《みょう》利《り》に尽きる披露宴だ。

「マジか。新婦、怒っているだろ?」

「いまだにナレーション書きのポジションだってことに怒っていました」

「まあ、新婦は放送作家の仕事を知りつくしているからな」

「そのナレーション書かせているのは俺なんですけどね……」

「その分、しっかり、お前の女房役の門出を盛り上げてやれよ」

「わかりました。馴れ初めVTR、楽しみにしていてください」渡部は自信満々の顔で答えた。

新郎のナレーション書きが終わらず、披露宴は開始予定時刻から10分が過ぎていた。

その空気を察して列席者たちに詫びていたのは今日の主役である新婦だった。ウエディングドレス姿で方々のテーブルを回り、持ち前の愛嬌《あいきょう》で逆に笑いまで取っていた。

「夫に仕事の方もお願いしま〜す」これは、夫が家に帰ってこなくってもいいタイプだ。ある意味、うちと一緒だ。

15分遅れで披露宴が始まった。ベタな入場曲に合わせて新郎新婦が入場してきた。今日から一人の放送作家が家族を持つ。家族という新番組が始まるのだ。

パーティは笑いが絶えないまま進行し、渡部が作った馴れ初めVTRが上映された。このVTRは決して片手間で作るのではなく、仕事以上に本気で取り組む。仕事で培《つちか》った笑いを祝福に変換し、心を込めて制作するのだ。

VTRは新郎には内緒で、自宅に隠しカメラを何台も仕掛け、新郎の様子を隠し撮りしたものが上映されていた。普段、会議では絶対に見せない甘えん坊の表情がスクリーン一杯に映った時、会場は大爆笑の渦に巻きこまれた。

会場が笑いに包まれれば包まれるほど、幸せな空気が流れていた。

VTRの最後で、急に映像がライオンの夫婦が一緒にサバンナを歩いている映像に替わった。そこにナレーターが登場し、生でナレーションを読み始めた。

「これから夫婦として人生を歩んでいくライオンには色んな試練が待っています」

新郎がやられたという顔をしている。

「さっきまで、俺が書いてた原稿……」

雄と雌のライオンを人間の夫婦に見立て、夫婦の絆の大切さを渾身のナレーションで謳《うた》っている。

このVTRは、この日のために架空の番組を作り、新郎に本当の番組だと信じ込ませ、ナレーションを書かせるという、ディレクターの渡部が仕掛けたドッキリだったのだ。

ライオンの次に2人の幸せそうな写真が映し出され、再び、同じナレーションが読まれた時、会場は大爆笑が起きた。新郎がさっきまで書いていたライオン夫婦のナレーションが2人の写真にぴったり合っているからだ。渡部はこちらにガッツポーズを見せた。

披露宴は感極まって泣きじゃくった新郎のスピーチでお開きとなった。洟《はな》をすする新郎と対照的に新婦は笑顔で列席者を送り出していた。

「三村さん、俺の理想の夫婦は三村家なんです」中野は洟をたらしながら僕の手を握ってきた。

「奥さんは凄い人です。三村さんを見ていてそう感じるんです」

あっ、妻の方ね……。新郎の言葉に苦笑いしながら会場を後にした。

理想の夫婦か。どこをどう見たら、そんな風に見えるのだろうか。

披露宴の帰り道、僕は10年前のある出来事を思い出していた。それは僕たち夫婦に起きた初めての試練だった。

ある日、一通の督促状《とくそくじょう》が届いた。借金の返済の督促。金額は2000万円。月々の利子だけでも数十万円ある。

借金？　全く身に覚えがない。

不安を抑えながら記憶の糸をゆっくりたぐってみた。僕は声をあげた。

「もしかして、あの時の……」

調べてみると、予感は当っていた。

以前、父と僕は亡くなった祖父から土地を譲り受けていた。その頃僕は駆け出しの放送作家で、その土地をどうこうするつもりもなかったので、一切合切を父に預けていた。

それから少し経って、父から、仕事の資金繰りが上手く行かないという理由で、土地を担保に銀行からお金を借りたいと頼まれた。父は自分の土地を手放してもまだ足りない程、切羽詰まっていた。親のそういった事情ならと僕は了解した。

その後、父の会社は倒産。借金の返済も滞納して利息も増えていた。

更に、追い打ちをかけるように、景気が悪くなり土地の値段が一気に下がった。あわてて清算したが、僕名義の借金だけが残ってしまったのだった。

この日から、父はなんとなく老けた。問題は、この借金をどうするかだ。

弁護士に相談すると、選択肢は2つ。「借金を返すか、自己破産するか」だった。陽一郎も生まれたばかりで、まとまったお金を工面するあてもない。初めて放送作家を辞めようと思った。

この時、妻から意外な答えが返ってきた。

「借金返せば？　借りたものは返さないと。どんなに貧乏になっても私と陽一郎はずっと一緒にいるから。いつも、言っているじゃない。放送作家は『辛いこと』を『楽しい』に変換する仕事だって。頑張って借金返して、お父さんの口から冗談が出るようにしよう」

あまりにも難しく、あまりにも力が湧いてくる言葉だった。

この一言がきっかけで、意識が変わっていった。人を楽しませる仕事でこの借金を返そう。折れ欠けていた心が彩子のおかげで折れずに済んだ。

とにかく目の前にある番組を必死で頑張った。仕事をしていると借金の不安を忘れることができた。テレビの前にいる視聴者の顔を思い浮かべながら番組を作るようになった。辛いことを少しでも前向きに変換できるような番組を作ろうと心の底から思えた。

そうすると番組も、いい方向に向かい出し、周りに認められ仕事も増えていった。気がついたら借金は返し終えていた。

もし、自己破産をしていたら、なんでも愚痴に変換する人生を歩んでいたかもしれない。

妻の一言が僕を救った。妻は節目節目で僕を笑って生きていける人生に導いてくれる。

新郎の言った「奥さんは凄い人です」をもう一度、思い出した。

三村家のリビングには一台のピアノがある。金持ちの象徴のようなグランドピアノではなく、古びた電子ピアノである。彩子は早めに家事を片付け、この古びた電子ピアノの前に座っていた。

ピアノは2人が付き合っていた頃、修治の部屋にあったものだ。新婚当時、小さなアパートでほろ酔い気分になると、彩子の演奏でよく2人で歌を歌った思い出もある。引っ越しの度に修治は捨てようとしたが、彩子は頑としてそれを拒んだ。ピアノの脇には粗大ごみのシールが貼ってあり、レの鍵盤《けんばん》が戻らなくなっている。

彩子は静かに深呼吸して弾き始めた。

君が落ち込んだり　困ったりしたとき　誰かが恋しくなったりしたり
When you're down and troubled　And you need some loving care
何もかもが違う方向へいっちゃいそうなときは
And nothing nothing is going right
目を閉じて僕のことを思い出してみて　僕はすぐ傍にいくよ

Close your eyes and think of me　And soon I will be there
どんな暗闇だって僕が明るく照らしてあげるから
To brighten up even your darkest night
僕の名前を呼ぶだけでいいんだよ
You just call out my name
そしたら僕はどこにいたって　君のトコに駆けつけるから
And you know wherever I am　I'll come running to see you again
冬だろうと　春だろうと　夏だろうと　秋だろうと　いつだって
Winter spring summer or fall
僕の名前を呼ぶだけでいいんだよ　すぐに行くからね　僕は君の友達だよ……
All you have to do is call　And I'll be there　You've got a friend

「ウソばっかり……。いつも、いないじゃん」彩子はそう呟いた。
「さてと、問題集のチェックでもするか」と大きな背伸びをした。

第四章　妻に相応しい相手とは

1月25日　余命あと59日

寒さも本格的になってきた。

今日は、この寒さ以上に気が引き締まることがある。いよいよ知多さんと会うのだ。この依頼を知多さんが引き受けてくれたら、病気のこともすべて話そう。企画を成功させるには、なんでも正直にさらけだすのが鉄則だ。

婚活女性と同じくらいの希望を胸に、表参道にあるオフィスに向かった。

入り口にはＣＭに出ている女優のポスターが貼ってあった。

只今、婚活中！　バツイチの私でも大丈夫！　私生活を逆手に取ったキャッチコピーは、話題を呼んでいた。

笑顔が素敵な秘書が僕を社長室に案内してくれた。本棚に本がずらりと並んだ、知的な部屋だった。５分程すると女性が入って来た。知多さんだった。

「三村さん、ご無沙汰してます」

「知多さん」やり手社長のオーラを感じた。

「びっくりしたでしょ。私が結婚相談所をやっているなんて」

「正直、聞いたときは、耳を疑った。テレビのリサーチの方は？」

「今は、こっちにかかりっきり。やっぱり片手間じゃ無理」

「知多さん、忙しいだろうけど今回はよろしくお願いします」

「こちらこそ。他ならぬ三村さんの案件だから、これは引き受けなきゃって思って。どうぞおかけになって」

知多さんは冷蔵庫から冷えたミネラルウォーターを２本取り出し、１本を僕に渡した。「相変わらず忙しいんでしょ。いつもエンドロールで拝見してるわ。あれ、少し痩せました？」

「ああ、最近、ダイエットを始めて」奥川に教わった嘘で誤魔化《ごまか》した。

「そうだ、自慢していい？　今日、ものすごい発表があるの、フフフッ」知多さんは水を一口飲みながら言った。

「えっ、なに？」と身を乗り出すと、

「まだ、内緒っ」と意地悪な顔をした。えーっ、言わないの？

「ヒントは原山典子」

見当もつかないので話題を変えることにした。

「聞いていい、なんで結婚相談所の仕事を始めたの？」

知多さんはやっぱり聞いてきたか、という顔をしてゆっくり口を開いた。

「私が結婚したかったから」

「えっ、自分の結婚相手を見つけようと思ってこの仕事を始めたの」

「だって、そうでもしなければ出会うことなんてないじゃない」

僕はつい余計な一言を口走ってしまった。

「ということは、もしかして、今まで色んなリサーチをしてきて、唯一、見つからなかったのが……」

「そう、ダンナさん……ってオイ！」知多さんのノリツッコミには本音も混じっていた。

「さっさと結婚して、仕事を辞めるつもりだったけど、まだ私だけ何故かリサーチ中。理想が高いのかな。だから山田みどりさん以外のテレビ関係者には秘密にしていたの」

「でも、知多さんなら、その気になれば見つかるでしょ。だって」

「はーい。私の話はそれくらいにして、仕事の話をしましょ。今回はどなたのお相手？　親しい方？」

「まあ、親しいと言えばかなり親しいんだけど……」

「親戚の方、それとも番組の方？」

「実は……」

「実は？」

「妻の結婚相手を探しに来たんです」

「えっ⁉」知多さんが固まった。

「よく意味が分からなかったけど……、どういうこと？　もう一度聞くけど、三村さんは誰の結婚相手を探しているの」

「僕の妻です」

「……」

落語のご隠居と熊さんの会話のような展開になってきた。知多さんはリモコンで部屋に流れているBGMを止めた。

「理由は話して頂けるのかしら？」

僕は覚悟を決めてゆっくり頷いた。

「実は……」

「実は？」

「僕はあと少しの命なんです」

「きゃっ……」知多さんは今度は小さな悲鳴をあげながら固まった。そして、そわそわしだした。

「ごめんなさい、話を整理させて。恐る恐る聞くわよ、まず、三村さんがあと少しの命っていうのは、どういうことなの」

「ある病気に冒されていて、医者に余命を宣告されたんです」

「ちょっと、こんなことしている場合じゃないでしょ。名医なら何人も知っているわよ。えっと、確か携帯も知っているはず……」

「知多さんにお願いすれば、名医が現れそうだけど、もう治療の段階じゃないんだ」

「………」知多さんは水をゴクゴク飲み始めた。

「あの、知多さん、落ち着いて」

「はい……。あー、やっぱり落ち着けない」

「余命をカミングアウトされるのは初めて？」

「当たり前じゃない。奥様は三村さんの病気のことを知らないの」

「まだ、言ってない」

「えーっ、私も知りたくなかった……」

今にも泣きそうな表情をした知多さんは、何度も深呼吸を始めた。

「ごめん、驚かせて。余命6ヵ月を宣告されたら治療に専念したりするのが当然なことだとはわかっているんだ。残りの人生を家族と過ごすって選択もあったんだけど」

「当然よ」

「でも」

「でも？」

「考えて考えて出た結論が、妻の次の結婚相手を探すことだったんだ。おかしいでしょ。でも、これが僕の最後の宿題だって決めたんだ」

「宿題って。三村さんの人生はテレビの企画なんかじゃないでしょ……」

かなり長い沈黙が流れた、何分経ったろうか。途中、何度も知多さんは独り言を言っていた。そして、僕の顔を見て言った。

「本当にそう決めたの」

「決めた」知多さん、これは僕の人生最後の宿題なんだ。

知多さんはやれやれという顔をして言った。

「時間がないんでしょ」

「今日が1月の25日だから、あと2ヵ月……」

「さっき、痩せたのはダイエットって言ったけど……」

「そう、病気のせいなんだ」知多さんは、目に涙を溜めていた。僕をどう説得しようかではなく、どう理解しようか考えているように見えた。

「一つだけ聞いてもいい？　三村さんの最後の宿題は楽しい結末？」

僕は自信を持って答えた。「最高に楽しい結末が待っている」

知多さんがやっと笑った。そして言った。

「ほんと、変な話に巻き込まれちゃった。わかりました。依頼をお受けします」

「よかった」ありがとう。こんなへんてこなことを引き受けてくれて。

「三村さんは私が考える企画の数倍、変なことを考えるのね。昔っからそう」

「…………」

「やると決まったら、前に進まないとね。絶対にできませんと言わないのが私のポリシーだから。あと2ヵ月か、これは時間がないぞ」知多さんはパソコンを立ち上げた。そして、リサーチの鬼の顔に切り替わっていた。

「まず、奥様のお名前は？」

「三村彩子です」

「年は？」

「38歳です」

「奥様の写真はある？」僕は携帯に保存してあった写真を見せた。すっぴんだけど大丈夫かな……。

「これが三村さんの愛した人か。なんか幸せって顔してる」

「その幸せの理由は、食べ放題で、しっかり元を取ったからだけど……」

知多さんは笑っていた。

「お子さんは？」

「三村陽一郎、小学5年です」

知多さんは次々と質問をしてパソコンに入力していった。

「前のご主人とは離婚？……もういやだ」ご主人は目の前にいる。

「もう、おかし過ぎる」知多さんが笑い出した。

「そうだよね、まだ夫がいるのに結婚の相手を探すなんて」

さっきに比べ知多さんが落ち着きを取り戻した。

「データがこれだけじゃ候補者が3000人以上いるわ。もっと奥様の理想のタイプを入力して相手を絞り込まないとね」

「どうですかね、いい相手見つかります？」そりゃそうだ。

「ふふっ、おかしな台詞、自分の奥さんにいい相手だなんて」

そうだよな。妻の結婚相手を夫が探すなんて聞いたことがない。改めてそう思った。

「こんな難しいリサーチは初めてだわ。なんだか久しぶりに燃えて来たわ」

そして、引き出しからアンケートを取り出し読み上げた。

あなたの理想のパートナー像をお聞かせください。これは自分が幸せになるための重要な手がかりです。遠慮せず、ずけずけと条件をお書きください。

「これは本人に書いてもらうものなんだけど、三村さん、このアンケートに奥様の好みをびっしり埋めてきてくれない？」

「僕が？」

「だって、それしか方法はないでしょ」

「ですよね……」

遠慮せず、理想の相手像を細かく書くのがコツらしい。

まさか妻に相応しい相手を夫の自分がリサーチするとは思ってもみなかった。

知多さんに婚活に関する心構えを叩き込まれ、僕はオフィスを後にした。

外に出るとすっかり日が暮れていた。寒い。でも、冬になんか負けてはいられない。春が来る頃には妻の新しい人生に桜を咲かせなければ。


「ただいま」

「おかえり〜」

妻は笑顔で出迎えてくれたが、僕だとわかると表情を曇らせた。

「なんだ修治か……、てっきり陽一郎だと思った。息子に声似過ぎだよ」

息子の方が父親の声に似てきたんでしょうが。ここで揚げ足をとると、10倍になって返ってきそうなので、それはやめにした。妻から理想の相手をどうやって聞き出そう。

「どうしたの、私の顔に何かついている？」

そうだ、こんな時は家族で外食だ。

「あれ、晩ご飯まだなの？」

「まだ。朝からたまっていた家事をやって、やっと落ち着いたところなんだもん」

「そっか、勉強と家事の両方は大変だ」

「何、その棒読みな父親的発言」

「そうだ、たまにはさ、家族で晩ご飯でも食べようか」

「勝手に早く帰ってきて、いきなり家族団欒とか言わないでくれる」

ここは、妻がどんな態度をとっても我慢だ。

「たまには外食でもどう？」

「えっ、お出掛け？」急に態度が変わった。

「そう、毎日大変だから、たまには美味しいものでもと思って」

「まだ、夕食の支度してないから、いいけど」

食いついてきた。

「この前、テレビで紹介されてた近所の寿司屋はどう」

「たくみ寿司のこと。あそこ、高いんだよ」彩子は眉をへの字にして言った。

「いいじゃん、たまにはさ」

「行く。行く。絶対行く！」

「塾は大丈夫？」

「大丈夫。だって受験は来年だよ」何、この変わり身の早さ……。

「そっか……」

「よし、支度しよっと」

久しぶりの外食とあって、妻の機嫌はあからさまによくなった。学校から帰って来た陽一郎も塾を休んでいいと聞き、大喜びだ。ラッキーなことに、たくみ寿司もキャンセルが出て、すぐなら席が空いているという。

相変わらず妻の支度は長かった。玄関で僕と息子がとっくに待っているのにちっとも来やしない。

「ちょっと、まだ？」

家の奥の方から「鍵がなーい」と無神経な声が返ってくる。

「またか」

なんで女性は鍵の置き場を決めない生き物なのだろう。息子が玄関の横にある一輪挿し用のテーブルを指差した。またこのパターンか。毎回、出掛ける前に起きる、お約束の現象である。

「おーい、鍵、あったぞ」

「もう、早く言ってよ」見つけてあげたのに、奥から妻の能天気な声がする。僕は息子と顔を見合わせ、やれやれという顔をした。

寿司屋は家から徒歩3分程の場所にあるにもかかわらず、妻は、よそ行きの洋服に着替えていた。

この浮かれている妻から理想の男性像を聞き出さなくてはならない。僕の頭の中で「ミッション・インポッシブル」のテーマが流れていた。

たくみ寿司は、8席ほどの小さな店で一枚ものの檜《ひのき》のつけ台が貫禄を出していた。大将と若い弟子2人で切り盛りしているようだ。予約の電話をした時の、丁寧な応対からもこの店の品格が窺えた。

いつかこんな寿司屋のつけ台に座って、息子と男同士で酒を飲むのが夢だった。

妻はおしぼりを笑顔で受け取りながら「ここのお店、一度来てみたかったんです。嬉しい」と少し若めの声で言った。そして、次の言葉に耳を疑った。

「大将、私、冷酒いただこうかしら」

大将って。いきなり常連気取りだ。信じられない、この性格。

「僕はお茶ください」

「飲まないの？」

「この後、台本があるから」

「ご主人は物書きをされているんですか？」

大将が興味を示したが、瞬時に反応したのは妻の方だった。

「物書きといっても、放送作家といって、テレビの台本とかを書く仕事なんです」

おい、それこっちが言う台詞でしょうが。

「はーっ、たいしたもんだ」

「今日は、私がお願いして連れて来てもらったんです」

嘘だ。誘ったのはこっちなんです、大将。

「うちも予約が一件キャンセルになったんで助かりましたよ。奥さんにお礼を言わないと」

一瞬のうちに大将と妻は打ち解けていた。冷酒を飲みながら会話も弾んでいる。そんな光景を見ていると、僕が死んでも妻はそこそこやっていけそうだと思った。

少したつと予約の客が次々と現れ、あっという間に店内は満席になった。大将も妻の相手をしていられなくなった。チャンス到来である。

妻と息子は3回目の中トロを平らげている。おい、ペースが回転寿司並みだ。

「あー、美味しいものを食べると、幸せな気分になる」

「ほんと。僕、今、凄く幸せ」

このままだと2人に高い寿司を食べまくられるだけになってしまう。

「あのさ、食事中に変なことを聞くけどさ」

「何、急に。ははーん、家族で急に外食なんて、やっぱりなんか魂胆《こんたん》があったんでしょ」

「そんな、魂胆ってほどのことじゃないけどさ」

「言い回しがもう怪しい」

「たいした話じゃないけど、もしさ、僕と出会ってなかったら、どんな人と結婚していたと思う？」

「どうしたの急に」

「理想のタイプってどんな人なのかな？　って、ふと思って」

「そんなこと、〝ふと〟思うの？　わかった、また番組だ」

「まあ、そんなとこ……」

「やっぱりか」息子が口を挟んだ。お前も乗ってくるな。

「違うよ。たまにしか家族が揃わないから、色んな話題で盛り上がりたいじゃない」

一生懸命、乗せようとするが2人はちっとも聞いていない。

「で、何に答えればいいんだっけ？」

「理想の相手はどんな人か？」

「…………」

妻は、冷酒を注ぎながら考え込んでいた。

「うーん」

こんなことがなければ、妻の理想の男性像など聞くこともなかった。僕は少しだけ緊張してきた。

「そんなに深く考えなくてもいいよ」

「じゃあ、もう少し食べる。大将、追加で、ウニとアワビください」えーっ、注文するかどうかで悩んでいたの？

大将は「へい」と頷いた。

「番組に協力するんだからさ、元とらなきゃ」元ってなんだよ？

妻は理想の男性像を語りだした。

「まず家事が好きな人でしょ、あと、無駄遣いしない人。決断できる人。せっかちじゃない人。そんなとこかな」

「……それ、現夫の性格と真逆を言ってない？」

「わかっちゃった？」妻は注文したウニをほおばりながら笑った。

「じゃあ、好みの容姿は？」

「鏡見れば？」彩子はコンパクトを開けて見せた。

「こういうのが好みってことか」

「そういうの気にしないってこと」現夫を前に、容姿を気にしないって……、どう受け止めればいいんだ。

「例えばの話だから、もっと理想を言ってよ。もし再婚するとしたら？」

「んーっ、想像もつかないよ」

話がちっとも膨らまない。僕が諦めかけてお茶をすすっていると、妻は、

「あとは健康な人かな。健康でいてくれればほんとは何もいらないんだけどね」と言った。

どきっ。妻は気づいているのか。次の瞬間、妻の携帯電話が鳴った。

「あっ、ニュースメールだ」妻は画面を読みながら、驚いた表情を見せた。

「へえー、こんな偶然あるんだ。ほら、これ」妻は画面を僕に見せた。

「女優の原山典子が再婚……」

「原山典子って、自分がコマーシャルやってる結婚相談所で婚活をしてたんでしょ。

本当に相手が見つかったんだ。凄いね」

　ニュースメールの写真には、知多さんの会社のロゴの前で幸せそうに微笑む原山典子が写っていた。知多さんが、今日、すごい発表があると自慢していたのはこのことだったのか……。妻はまるで自分がプロデュースしたかのように携帯電話の画面を大将や客たちに見せていた。

　結局、たいした収穫もなく、2人を満腹にしただけで終わった。


　家族が寝静まった頃、僕は仕事部屋でアンケート用紙を眺めていた。まさか、妻に相応しい人物を自分で書くなんて思ってもみなかった。

『あなたの理想のパートナー像をお聞かせください。これは自分が幸せになるための重要な手がかりです。遠慮せず、ずけずけと条件をお書きください』
○家事が好き。※気がついたら、ゴミを捨ててくれる人。
○無駄遣いしない。
○決断ができる。※優柔不断じゃない方ならＯＫ。
○嫉妬しない。

○博学な方。※小学5年になる息子がいます。中学受験程度の勉強がわかると助かります。
○健康な人。
○夫婦の会話を大切にする方。毎日、夕食を囲みながら、その日にあったことなど語り合える夫婦でいたいです。※基本、私の話にはオチがありません。
○忙しくない方。※生活のサイクルが一緒の方を望みます。
○せっかちじゃない人。※よく鍵を置いた場所を忘れます。
○トイレットペーパーが残り一巻きになったら、新しいのを用意してくれる人。
こうして書いていると、僕は妻に相応しい男性に一つも当てはまらない。
だから、次は思いっきり家庭的な人がいい。
それにしても、これだけ相応しくない男がなんで妻と夫婦でいられたのだろう。
そうだ、基本的な要望も入れておこう。
○DVする男はダメです。
○あとマザコン男も困ります。
○できれば好き嫌いのない人。
○当然、浮気をしない人。

○趣味がマニアックじゃない人。
○酒癖が悪くない人。
　気がついたらアンケート用紙にびっしり書き込んでいた。とにかくこれを一度、知多さんに送ってみよう。


　2月に入った。中学受験を決めた陽一郎の頑張りがすさまじい。今では彩子の方がペースについていくのがやっとだ。毎朝、プリント1枚分の問題を解いてから学校へ行き、塾から帰って来ても、必ず1時間は机に向かっている。

　勉強を終えた陽一郎が風呂に入っている時、彩子はソファーでうとうとしていた。なんで息子は受験をしようと思ったのか？　理由を聞こうとするが、なかなか聞けずにいる。そんな夢を見ていた。

　彩子は目を覚まし、時計を見た。深夜0時を過ぎていた。もうこんな時間だ。

「いつまで入ってるの？」返事が無い。「どこ？　ちゃんと髪の毛、乾かしたの」今度は寝室に向かって言った。廊下に置き去りにされたタオルを拾いながら寝室に行くと、床に座っている小さな背中が見えた。陽一郎は夢中で何かを見ていた。

　陽一郎が見ていたのは家族のアルバムだった。どこから引っ張りだしてきたんだろう？

彩子は男友達のような口調で声をかけた。

「おいっ、返事くらいしろよ」

「ねぇ、お母さん、この写真いつの？」

「えっ、何見てるの、どれ？」写真には若い父と母が写っていた。

「これはね、初めてデートしたときの写真かな？」

「かな〜って、ちゃんと覚えているくせに」息子の言い方が修治そっくりだったのに彩子は少し驚いた。

「これ全部、お父さんが撮ったの？」彩子は大きく首を横に振った。

「ぜーんぶ、母さん。お父さんと出会った時からずっと写真係。陽一郎のお遊戯も運動会も、お母さん。普通の家庭はお父さんが担当なんだけどねーっ」

「写真の大学に行ったんだもんね」そういうことじゃないだろ、という顔をしてみせたが、陽一郎は軽く受け流しアルバムをめくっていた。

「ねえ、お母さんと一緒に見ようか」

「仕方ないな」そう言いながら陽一郎は彩子の膝に乗って来た。久しぶりに陽一郎の匂いを嗅いだ気がした。

「これはどこに行った時？」

「どこだったかな……」どの写真も一目でわかっていた。

「これは葛西臨海公園の水族館」

「マグロの大群だ」

「そうだ、クロマグロ国際商取引の全面禁止案を提出した国はどこでしょう？　大西洋及び地中海におけるっていうのがヒントね」彩子は即興で問題を出した。

「モナコ」

「正解」

「あのさ、勉強の話やめない？　オンとオフを使い分けないと、お母さんが参っちゃうよ」

「……そうだね、ごめん。よし、何でも聞いて」

「この写真、凄い。爪に絵が書いてある」陽一郎は大笑いした。

「お母さんの誕生日にお父さんがネイルサロンに連れて行ってくれて」

「へえーっ」

「お店につくといきなり目隠しをされて。完成したのを見てみたら、爪に東海道五十三次の絵が描いてあったのよ。描いたのは米粒に絵を描く職人さんだったのよ。番組の実験で、ちゃんとできるかをお母さんで試したのよ」彩子は爪に東海道の風景が描かれている写真を見ながら懐かしそうに話した。

「あれ、この赤ちゃんは僕？」

「そう」それは3歳になる陽一郎と家族旅行に行った時の写真だった。

「やっと家族が揃った」

「こんな時期あったんだね」

「知らないおばさんが笑ってる」家族の横に旅館の仲居さんが写っていた。

「これは箱根の温泉に行った時の写真。仲居さんの隣で、お父さんが泣いたフリしてるでしょ」彩子は思い出し笑いをしてしまった。

「旅館に行くと宿泊代とは別に、お世話してくれる仲居さんにお金を渡すの。普通は2000円くらいかな。いざ、渡そうとしたら、その時に限ってお父さんの財布には5000円札しかなかったの。お父さんが目で何度も合図を送ってきたんだけどお母さんも5000円札しかなくて。お釣りをもらうのも変だし、仲居さんもなかなか立ち去らないし。気まずくなって、お母さんが5000円札を渡したの。仲居さんは大喜び。その嬉しそうな笑顔を見て、お父さんが、一緒に記念撮影しませんか、って言ったの。これがこの写真」

「いい笑顔しているね」

「わかる？　この顔見たら５０００円のことなんて吹き飛んじゃった」

「お父さんって、なんでも楽しいことにする才能あるよね」……そんなところを好きになったのだ、と彩子は心の中で呟いた。

「この写真、覚えてる？」

彩子はリビングにあるのと同じ家族３人が睨んでいる写真を指した。

「みんなで出掛けた時の写真でしょ。部屋に飾ってあるじゃん」

「これが唯一、お父さんが撮った写真。オートタイマーのセット時間を間違えてさ、1分も待たされたんだから」

「全然シャッターの音がしないから、いらいらして、みんなで睨んだもんね」家族３人全員が睨んでいるのはそのせいだった。

「お母さん、この写真が一番好きなんだよね」

久しぶりに愛おしい時間が流れていた。ここに修治はいないが、写真を通して家族一緒に過ごしている気がした。

「こんな時間だ。もう寝ないと。明日からまた闘いは続くぞ」

「お母さん……、僕がなんで受験したいか知ってる？」

「えっ……」

「うちの家族はお父さんもお母さんもみんな頑張っているから、僕も頑張りたくなったの。おやすみ」

陽一郎は彩子に少しだけ抱きついて、すぐに去って行った。彩子は涙をこらえるのに必死だった。そして思った。こんないいシーンに、修治はいつもいてくれない……。

2月5日　余命あと48日

深夜2時過ぎに帰宅し、妻と息子の寝顔を見た後、僕はある決心をした。

放送作家を引退する。妻の結婚相手探しに本腰を入れるため放送作家の仕事をすべて辞めるのだ。

各番組のプロデューサーに手紙を書くことにした。でも、なんて書けばいいんだろう……。引退、引退……。そうだ引退といえば長嶋茂雄《ながしましげお》だ。

僕はペンを取り、書き始めた。

『22年前、栄光のテレビに放送作家として入団以来、今日まで、絶大なるご支援をいただきまして誠にありがとうございました。今日まで私なりに一生懸命放送作家生活を続けて参りましたが、今ここに体力の限界を知るにいたり、引退を決意いたしました。振り返りますれば、22年間の放送作家人生、いろいろなことがございました。番組ひとつひとつ思い起こす時に、高視聴率の時には、皆様の激しい大きな拍手をいただき闘志をかきたて、また視聴率が悪い時には、皆様の温かいご声援に支えられてきました。私は今日ここに引退いたしますが、バラエティは永久に不滅です

放送作家　三村修治』

放送作家を辞める。すべての番組を降板する。今日から、妻の結婚相手探しが唯一のレギュラー番組なのだ。

翌朝、放送作家人生、そして僕の人生で最後の台本を書いて番組のＡＤに送った。最後の一行は、司会者の台詞で「それでは、来週のこの時間に、またお会いしましょう。さようなら」だった。

「いってきます」

「いってらっしゃい」

今日も妻の笑顔に見送られ、テレビ局に向かう。

そして太平テレビ編成局長の荒城伊知郎《こうじょういちろう》に電話をかけた。

「おはようございます。三村です」

「オウ、三村か。昨日の特番の数字聞いた？　18・3％だよ」電話口の荒城は上機嫌だった。

「そうみたいですね。……あのー、今日、お会いできませんか？」荒城は、用件は聞かず気軽に了解してくれた。

地下鉄の駅を出て、僕は太平テレビを見上げた。いつものように入構証をゲートに当てて中に入る。

放送作家を辞める前に最後に見ておきたかった光景があった。

僕は30年以上続いている昼の生放送番組のスタジオに立ち寄ってみた。

丁度、本番前の客入れが始まったところだった。

この客入れが大好きだった。放送開始20分前、ボーイズ・タウン・ギャングの名曲「君の瞳に恋してる」が流れ、それが合図で客入れが始まる。

外に並んでいたお客さんたちがぞろぞろとスタジオに入ってくる。ハガキを出し観覧券を当てた人たちだ。中に入り、お馴染みのセットを見るなり、笑顔がこぼれる。子供の頃から観ていた番組のスタジオにいる！　このときめいた顔が好きだった。

　そして、今日も楽しい番組を届けようとスタッフの気も引き締まる。

　本番が近づくと、高揚感と緊張感にスタジオは包まれる。ADが登場し、前説が始まる。この前説は将来、ディレクターになるADにとって大事な経験になる。数分間の前説で、お客さんはどこで笑うのか、どんなことでテンションを上げるのかということを肌で体験するのだ。かけがえのない演出の場なのだ。

　今日もADはアイデアをこらした前説でお客さんを笑顔にしていく。ADは司会者になったつもりで拍手の練習もする。

　拍手がスタジオに響き渡り、チャッチャャッチャとしめる。毎日、テレビで観ている、あの拍手だ。そんなお客さんのワクワクした顔がこの番組を支えている。

　そして、数十秒後、本番が始まる。

　いつものように、お昼の顔である司会者が登場するとスタジオは最高潮に盛り上がる。そんな光景を目に焼き付け、僕はスタジオを後にした。

　編成局のあるフロアに行く途中、色んな場所を見て回った。

思えばテレビ人生を振り返ると色んなことがあった。記憶に残っているのは高視聴率を取った番組でも打ち切りになった番組でもなく、テレビの世界で働くテレビマンたちのガッツである。

今日も局の廊下をとにかく忙しそうに走り回るADたちがいる。大声で携帯電話をかけながら歩いている怪しいプロデューサーもいる。何日も家に帰らず小汚い格好で編集をしているディレクターもいる。喫茶店で台本書きをせっせとしている放送作家もいる。プロデューサーに必死でタレントを売り込んでいるマネージャーもいる。そんな見慣れた風景から今日、僕は去る。

編成局に行くと、荒城局長はデスクで電話をしていた。

荒城伊知郎は、僕が駆け出しの放送作家の頃にテレビ作りのイロハを叩き込んでくれた人だ。

ある女子アナの結婚披露宴で流すVTRを一緒に制作したのが出会いのきっかけだった。その女子アナは番組で共演したプロ野球選手と電撃結婚。その年のシーズンオフに盛大な披露宴を開いた。

女子アナに何度も台本の書き直しをさせられたのに、荒城さんは文句一ついわず笑顔で仕事をしていた。

たかが馴れ初めVTRなのに、なんで、こんなに一生懸命やるのか、そんな愚痴まじりの質問をすると「ゴールデンの番組だろうが、馴れ初めVTRだろうが、楽しませるのに区別をするのはおかしいだろ」と荒城さんは言った。

VTRは大ウケだった。その後、女子アナとプロ野球選手は1年と持たず離婚したが……。

そんなことがきっかけで、放送作家として番組に呼ばれるようになったのだ。その後、荒城さんはディレクターからプロデューサーになり、数年前に現場を離れ、編成局長になった。いわゆる大出世だ。そんなきっかけを作ってくれた恩人に、僕は放送作家を辞めると告げにいく。

荒城さんが電話を済ませたタイミングで声をかけた。

「荒城さん」

「おう、来たか。昨日の特番、数字良かったから、春に第2弾やるからな」

「…………」

「なんだよ、かしこまっちゃって」

荒城さんは若い女子局員にコーヒーを頼むと応接室を指差した。

「あそこで話そう」

「はい。ありがとうございます」

「ありがとう？　何が？　まだ何も頼まれてないよ」

「ですよね」

いつもの会話、これももう最後か……。僕は一度深呼吸をして、応接室に向かう荒城さんの後ろ姿を追いかけた。

「三村がお願いなんて初めてじゃないか。俺からは随分、無理なお願いをしてきたけど」

「朝まで打ち合わせして、それじゃ企画書、昼までに書いて、なんて発注ざらでしたもんね」

「今じゃ大御所先生だもんな」

「荒城さんが育ててくれたおかげですよ」

「なんだよ、かしこまっちゃって。真剣な話みたいだな」荒城さんは携帯電話をオフにして言った。

「よし、こっちも覚悟ができた。話してくれ」

僕の心も整った。

「実は今日限りで放送作家を辞めます。その報告に来ました」一瞬、荒城さんの顔色が変わった。

「放送作家を辞める、なんでまた」

僕の顔をじっと見つめている。そしてすべてを悟ったかのように口を開いた。

「そう言えば少しやつれたな」

同じテレビマンである荒城さんには、わかってしまったのだろうか。

「まさか……」

そう、そのまさかなんです、荒城さん……。

「まさか、お前も黒い交際？」

「いやいや、そうじゃなくって……」

その時、若い女子局員がコーヒーを持ってきてくれた。

「ツバジュンさ、三村先生知ってる？」

「はい、勿論。有名な放送作家の先生ですから。昨日の特番も三村さんが担当されていたんですよね？」

「まあ……」

「三村、紹介するよ、ツバジュン、椿《つばき》淳子《じゅんこ》さん。入社4年目で編成期待のエース」

荒城さんは必ず、人を紹介する時に「エース」とか「秘密兵器」とか「切り札」というフレーズを使う。

「編成局の椿です」

「今度、企画の相談してみたら。春の新番企画の締め切りも近いし」

「いいんですか？」ツバジュンはトレイを胸に抱えながら言った。

「いいに決まってる。だって、企画を考えるのが放送作家の仕事なんだから。なあ、三村」

今、放送作家を辞めるって言ったばかりでしょうが……。

「いつでも時間作るから、なんでも相談して」心にもないことを言ってしまった。ツバジュンは、よろしくお願いしますと頭を下げると、笑顔で応接室を出て行った。

「あの子、結構優秀でさ、今度、彼女の企画で深夜番組を一本やろうと思ってるんだ」

「凄いですね。あの……、できれば本題に入っていいですか」

「本題って？　もう話済んだんじゃないのか。放送作家辞めるんだろ」

「はい……。でも、訳も聞かず許してくれるんですか」

「許すも何も、そう決めたんだろ」僕は頷いた。

「さっき、ツバジュンの企画の面倒見てくれって言った時にわかったよ。なんで辞めるのかは知らないが、決心が堅いってことを。三村が天職の放送作家を辞めるって決めたのなら、相当な覚悟があったんだろ」

「すみません、きっかけを作っていただいた恩人に相談もせず……」

「何年やった、放送作家？」

「22年です」

「そっか、俺の作った番組には、殆ど三村がいたんだな」

「はい」

「色々、あったな」

「はい」

「バタバタだったな」

「バタバタでしたね」

なぜだか涙が流れてきた。

その昔、荒城さんはバラエティ番組はどうして必要なのかを教えてくれた。それが僕の指針になっていた。

「最近、中高年の女性をターゲットにした健康番組が多いけど、あれ、病人は観ないんだよね。病気の人は健康番組を観ると、余計切なくなっちゃうからさ」

病人が観たいのは病気のことを一瞬でも忘れられる、笑えるテレビなんだ、だからバラエティは存在し続けなければならない、と荒城さんは教えてくれた。

そして、テレビはいつも夢を与え続ける夢の箱でなければならない、と言い続けてきた。

僕は各番組のプロデューサーやディレクターにあてた手紙を荒城さんに預けた。

テレビ局の玄関を出る時、すれ違い様に、知り合いのディレクターが話しかけてきた。

「三村さん、なんかいいことでもあったんですか」

「そう見える?」確かに、放送作家を辞めるにふさわしい日だと思えた。

最後に僕は、長年通ったテレビ局を見上げていた。この建物から、様々な喜怒哀楽が電波に乗せられ視聴者のもとに届けられている。僕らの作った番組が誰かの心の中に少しでも溜まっていてくれたら、心から放送作家をやって良かったと思う。

僕は、僕を育ててくれたテレビ局に頭を下げた。

第五章　妻のお見合い相手が見つかった

2月18日　余命あと35日

待ちに待ったニュースが飛び込んできた。

知多さんから結婚相手の候補が見つかったと連絡があったのだ。

早速、オフィスに出掛けると、入り口の原山典子のポスターがニューバージョンに変わっていた。キャッチコピーも「只今、婚活中！　バツイチの私でも大丈夫！」から「ハッピーウエディング！　バツイチでもできるもん！」に変わりウエディングドレスを着ている。

今回、通されたのはプレゼンルームという部屋だった。

「連絡が遅くなってごめんね。このところ、例の結婚報道で、目が回るほど忙しくて」

大きな仕事を成し遂げた知多さんの顔は自信に満ちていた。

こんな展開があるから物作りはやめられない。出演者、制作者、そして視聴者、全員が楽しくなる、それが企画なのである。

「お待たせしたけど、ここからは三村さんの番よ。全力でサポートしますからね」

心強い。心強過ぎる……。

「奥様のアンケート、拝見しました」

「あれじゃ参考にならなかったかな」

「ううん。十分だったわ。世界で一番、奥様のことを理解しているってわかったわ」

知多さんはアンケートを眺めながらしみじみと言った。

「でも、書いているうちにどんどん僕の性格から遠ざかっていったけど」

「そうね。三村さんって、嫉妬しそうだし、せっかちだし……」えっ、知多さんにもそう見えていたのか。

「それではお見合い相手をご紹介します」

「よろしくお願いします」

知多さんは、リモコンを操作した。スクリーンが降りてきた。

「どうやって相手を見つけたの」

「『キクホド』って番組覚えてる？」

『キクホド』とは「聞くにも程がある」という言葉を縮めた造語がタイトルのトーク番組だった。毎回ゲストに内緒で、ゲストの知り合いから質問を集め、トークする番組だった。

　ある回で知多さんは、とあるタレントの歴代の元カノから質問を集めてきた。この時、ゲストがキレたことが話題になり番組はブレイクした。その後、取材がガチ過ぎて、ゲストが出てくれなくなり、打ち切りとなった記憶に残る番組だった。

　そうか「キクホド」の取材力が生きているのか。

「もしかして、今回も元カノにも取材したの」

「勿論。それがうちの売りだもん」

　ここまで完璧なのに、なんで自分の結婚相手だけ探せないんだろう……。

「ご紹介するお見合い相手は、元カノたちも絶賛してたわ。アンケートの条件をここまで満たした候補者はそういないわ。あとは相性ね」

「その相性っていうのは、どうやって判断するの」

「知りたい?」

「うん。知りたい」

「企業秘密なんだけど、こっそり教えると……」なんだろう。ここに知多さんの秘密が詰まっているのだ。

「それはね、私の直感。これがね、意外と当たるのよ」えっ、最後は勘なの? 知多さんはプレゼンを続けた。

「それではお見合い相手をご紹介しましょう。勿論、先方はこの話に乗り気です。こちらです」

スクリーンに男性の顔写真が、大リーグの選手紹介のようなかっこいい演出で映った。

「この方、お名前は伊東正藏《いとうしょうぞう》さん。年齢は39歳。既婚歴はなしです」

第一印象は悪くなかった。顔立ちも上品な感じだ。

次々と本人の情報が映し出された。

「伊東さんは、都内でインテリアの販売会社を経営する社長さんです。ご出身は札幌、現在は港区のマンションにお住まいです」社長か。

「慶明大学経済学部卒業。お酒は付き合い程度。タバコは吸いません。趣味はゴルフ、スキー、ピアノなんかも弾けちゃうみたい」
　ふむふむ、いい人そうだ。

「年収はざっと2000万強。過去10年の確定申告と照合しますとほぼ安定していると言っていいでしょう。家族3人で生活するには申し分のない収入かと思います」

　さらに詳しい資料を渡された。僕は夢中で資料を読んだ。

「気に入って頂けたかしら」

「申し分ない。事前に会うことはできる？」

「5日後に、伊東さんご本人と会うことになっているけど、その時はどう？　ばれないように手も打ってあるから」

「さすが、知多さん」

　くどいようだが、ここまですごいのに、なんで知多さんは結婚できないんだ……。

　彩子は冷蔵庫を覗くと首を傾げた。最近、修治が盗み食いをしなくなった。ダイエットでも始めたのだろうか。

　2月も半ばを過ぎた、来年の今頃は受験も終わっている。もう1年を切ったのだ。

　彩子は化粧台の引き出しから、一枚のDVDを取り出した。

彩子は元気を出したいとき、修治の番組を観ることにしていた。修治に言うとつけあがるので、内緒にしている。

彩子は「スイカ」と書かれたDVDを取り出しデッキに入れた。

これは素人の夢を叶える番組で、あるオジサンのスイカを丸かじりしたいという長年の夢を叶えたものだった。スイカを丸かじりするには皮を剝かなければならない。大工の棟梁《とうりょう》にお願いし、皮をカンナで削ると真っ赤なスイカができ上がった。オジサンは夢のスイカを前に嬉しさで涙ぐんだ。

オジサンはスイカを暫《しば》く眺め、丸ごとかじりついた。夢達成の瞬間だ。ゆっくり味わいながら言った。

「このスイカは食べる程に甘くなる魔法のスイカだ」

普通、スイカは食べる程に皮に近づくので渋くなる。しかし、真っ赤なスイカは食べる程にどんどん甘くなるのだ。スイカ一つで感動に出会えた。

修治の番組は笑ったあとにほろっとさせられてしまう。このDVDは彩子の宝物だった。観ていると修治と一緒に時間を過ごしている気がした。

「さてと頑張るか！」彩子が大きな深呼吸をしていると、玄関から元気な声が聞こえた。

「ただいま」陽一郎だ。この元気を息子にも分けてあげよう。

2月20日　余命あと33日

放送作家を辞めてから、一日が長い。

会議、台本、宿題がすべて無くなるとこんなに時間が空くものなのか。

この空いた時間を家族と一緒に過ごすのが、一番幸せなのだが、なんと、よかれと思って家庭サービスをすると、妻が露骨に迷惑がるのだ。

数日前も、受験勉強で疲れている息子に息抜きさせてやろうと、妻に内緒で連れ出し、海に出掛けた。沖を見つめながら「受験だけがすべてじゃないぞ。たまにはリフレッシュも必要だ。お父さんも」と父親らしい台詞を言いかけたところで電話が鳴った。妻からだ。忙しいのにゴメンねと、お礼を言われるものだと思っていたら開口一番怒鳴られた。

「どこにいるのよ！　風邪引いたらどうするの！　あのさ、自分の気分で父親を演じないで」と言われ電話は切れた。僕は、とりあえず、息子を車に乗せ大急ぎで帰った。

それだけではない。息子にかかりっきりの妻に「大変だね、今度、家族水入らずで温泉でも行きますか」と優しい口調で提案したところ、食い気味で「結構です」と言われた。そして、その後、叱られた。かいつまんで言うとこうだ。

期待した時にいないので、ずっと期待してません。だから、勝手に夫や父親のふりを偉そうにしないで。お願いだから、こっちのペースを乱すな。よかれと思ってやっていることは正直、迷惑です。あなたが家族のためにできることは、ただ一つ、とにかく放っておいて。ということらしい。

夕方、僕はマンションの柱の陰から、妻と息子が仲良く夕飯の買物に出掛けたのを見計らい、家に帰ってきた。

数年前に入った生命保険の書類を探しにだ。生保に勤める大学の後輩に乗せられ加入したのを忘れていた。

リビングでごそごそしていると、玄関から声が聞こえた。

「ただいま〜!」

もう、妻と息子が帰ってきたのか。大慌てで書類をズボンの中に隠し、ソファーで寝たふりをした。

「お母さん、お父さんがもう帰ってる」息子は子分のように、妻に告げた。妻はスーパーの袋を持ったまま、横たわっている僕のからだの上に腰を下ろした。

「あ〜、疲れた〜」

「いい、痛いっ！」

「ねぇ、寝たふりしてたでしょ」彩子は顔を覗き込みながら言った。

「してないよ。どう見ても寝てたでしょうが、それより重いって」

「なんか、怪しいんだよな。ねえ！」息子も頷いている。

「寝顔が嘘くさかったし」息子は生意気な口調で言った。

その日は家族揃って夕食をとった。こんな夕食はあと何回、できるのか。僕はコロッケと一緒に幸せを何度も噛み締めた。

「何？　なんか顔についてる？」

「いや。美味しいなと思って」

「これ、商店街の総菜だよ」息子が言った。なるほど……。

何か話題を変えようとしていたら妻は言った。

「今夜は、もう勉強はしなくていいから家族で過ごそう」

息子は、妻の意外な一言に戸惑っている。それをかき消すように妻は言った。

「みんなでテレビ観ようよ」妻は何か気づいているのか……。

夢のようなゴールデンタイムが始まった。フカフカのソファーにカラフルなクッションがたくさんあって、テーブルにはお菓子と飲み物がいい感じで置いてある。

そしてそのソファーに笑顔で座っているのは家族である。

かつて、そこは、お茶の間と呼ばれ、チャンネル争いといういさかいがあり、歌番組を録音しようとカセットをテレビに近づけると必ず母の声まで録音されてしまう事件が起き、ビデオデッキに録画したはずの番組が野球中継の延長で半分しか録《と》れていない悲劇があった。そんなテレビにまつわる素敵な悲喜《ひき》こもごもが、お茶の間にあった。

時が変わり、ハードディスクで殆どの番組が録画できる時代がこようとも、これだけは絶対に言える。

『テレビはみんなで観るのが一番楽しいのだ！』

家族と一緒に観た番組は、今原たけしが司会の「特命ボラバラ」だった。

年末に放送され視聴率が良かったので、パート2を放送することになったのだ。番組を作っていて嬉しいのはシリーズになることである。

今回も、若手のディレクター、石井の力作が揃っていた。

中でも、家族に評判が良かったのは、モノマネ芸人が、ある田舎で農家をしているおばあちゃんだけのために、モノマネをするという企画だった。

おばあちゃんは数年前に夫を亡くし、毎日、静かに暮らしていた。

モノマネ芸人は、元気だった頃のおじいちゃんの話を家族に聞き、写真やビデオを何度も見てモノマネを練習した。家族が見ても、絶句するほど完成度は高かった。

そして、おばあちゃんの前に現れたのだった。


ある朝、おばあちゃんがいつものように畑に出掛けると、朝霧の中から、鍬《くわ》を持った一人の老人がやってくる。おじいちゃんに扮したモノマネ芸人である。

畑に入りモノマネ芸人は土を耕し始めた。

おばあちゃんは、モノマネ芸人に気づいたが、作業をやめなかった。

2人は黙々と作業を続けた。

おばあちゃんは家族に「もう一度、おじいちゃんと畑に出たい」と言っていたという。モニターでその様子を見ていた、家族の誰もが泣いていた。

モノマネ芸人は畑を耕す手を止め、おばあちゃんに話しかけた。

「家族は元気にやっちょるか」

「はい。元気にやっておりますよ」おばあちゃんは笑顔でこたえた。

本当に、おじいちゃんだと思って言った言葉かは、わからない。しかし、その時の、おばあちゃんは優しい妻の顔をしていた。

2月23日　余命あと30日

僕の人生も遂にあと1ヵ月となった。

今日、伊東正藏に会う。

伊東が期待外れの相手だったら、もう間に合わないかも知れない。ここでおじゃんになっては死んでも死にきれない。

もし、今、神様が何かを叶えてくれるとしたら『妻に相応しい人が僕の目の前に現れるように』だ。心の底からそう思った。

約束のレストランに1時間も早く着いてしまった。場所は南青山にあるイタリアンだ。知多さんは、勝負の仕事の時は、この店を使っていて、女優の原山典子の時も、ここだったという。是非ともあやかりたい。

「知多さまのお連れの方ですね」入り口にいた男性が案内してくれた。既に知多さんは到着していた。

「知多さん、早っ」

「三村さんこそ。まだ1時間もあるわよ」

「自分のこと以上に緊張しちゃって」

「一世一代の面接だものね。興奮しすぎて素性がばれないようにね」

「十分、気をつけます」

「伊東さんのこと、あのあとも色々調べたけど、聞けば聞く程いい印象しかないの。これはかなりの優良物件ね。私が立候補したいくらい」と知多さんは笑った。本気にも聞こえる。

知多さんは僕に見知らぬ人の名刺を渡した。

「今回、三村さんは私の部下ということで。これが名刺」

名刺には、『お見合い窓口主任　都築《つづき》おさむ』と書いてある。誰？　この人。

「先月までいた社員の名刺が余っていたから、この名前使って」

「さすが、ぬかりない」

「相手を本気で信じさせるドッキリの極意ってやつ」

僕は何度も都築おさむという名をつぶやいていた。


待ち合わせの時間より5分程早く伊東はやってきた。コーヒー色のマッキントッシュのゴム引きコートを脱ぎ、店員に手渡した。スーツ姿も様になっている。写真より2〜3歳若く見えた。

僕はテレビカメラのように足下からゆっくりパンして生の伊東正藏を見つめた。

まずは知多さんが切り出した。

「今日はお忙しいところお越し頂いてありがとうございます。私が社長の知多でございます。そして、都築です」

「はじめまして、都築おさむです」

「伊東正藏です。よろしくお願いします」

伊東正藏の生声は爽やかだった。

「最初に失礼なことを言いますが、気を悪くしないでください。私は結婚相談所に胡《う》散《さん》臭いイメージがありました。でも、資料を読んでいるうちに、これがプロの仕事だ

と感じました。率直に言います。お相手の三村彩子さんを大変気に入りました」え
っ、いきなり？　早くない？

「まず写真に感動しました。今まで着物を着て写真館で撮影したお見合い写真ばかり見てきました。彩子さんの写真は普段着だった。ありのままの自分を見て欲しい意思のようなものが感じられました。そして笑顔が素敵です」あの写真は、携帯電話に入っていたのを使ったものだ。あの笑顔も美味いものをたらふく食べた時の笑顔だ。

知多さんはここぞとばかり乗っかって言った。

「彼女の良さがわかっていただけて光栄です。彩子さんの良さは、その着飾らないところなんですよ」それ、ちょっと違うんだけど……。妻は結構、着飾るのが好きなんだ。

「はっきり、それを感じました」２人は妻を大きく誤解して笑っていた。

「私どもはこの業界でひよっこ同然ですが、リサーチに関してはどこにも負けない自信があります。伊東さんが弊社のリサーチ力を評価してくださったのは大変ありがたいことです。不動産も、リサーチが完璧であれば理想の物件が見つかります。それと同じように男女の縁も徹底的なリサーチによって出会うまでの時間をショートカットすることができます」

伊東は一言一言に丁寧に頷いた。

「今回は都築を婚活アドバイザーとしておつけします。どうぞ好きなだけお使いください」

「都築さん、よろしくお願いします」

「こ、こちらこそ」

「アドバイザーというのは何をされるんですか」

「…………」慌てて知多さんが答えた。

「簡単に言いますと相談相手です。直接、お相手本人に言えないことなど、代行したり、結婚に関する疑問にもお答えします」

「それは心強い」

知多さんのプロ意識に共感したのか伊東は身の上話を始めた。

これまで結婚をしなかったのは仕事が忙しく、肝心の出会いに恵まれなかったからという。収入や地位を得ると女性は寄って来る。しかし、それは等身大の自分を好きなのではなく、収入や地位に恋をしているのではないかと、不安になるのだという。

その疑心はわからないでもない。確かに、偉い人の前で態度が変わるタレントをたくさん見てきたし。番組なら、起用しても、面白くなければ編集でカットすればいいが、結婚はそういかない。慎重になるのは当たり前だ。

「三村彩子さんで、何か気になる点はありますか」

「今のところ全くないです。既婚歴も含めて。お会いして気持ちが変わるかもしれませんが」

「当然です。お会いになってからも、よく考えてください。結婚は幸せの始まりでなければいけません。弊社はお互いが納得して結婚が決まるまで、全力でサポートさせていただきます」

「心強いです」伊東には爽やかさに加え、品もあった。

そんな伊東がいきなり不意をつく質問をぶつけてきた。

「都築さん、男性の目から見て、彩子さんはどんな女性ですか？」

「はい……」

「顧客を女性として見ちゃ、社長に叱られますか」

「いいえ、そんなことで私は叱ったりしませんよ。お話ししてさしあげて」

妻の印象をもっとよくしたい。ここは目線を下げて言わなくては……。

番組の会議でも「今から面白いことを言います」と前置きをすると相手の期待は膨らむ。これを目線があるといい、結果「言う程、面白くなかった」という評価になってしまう。

だから、安易に「最高の女性ですよ」なんて言わないほうがいい。本人に会った時に「こんなものか」とがっかりしてしまう。

こういう時は、なんて言えばいいんだ。注目が僕に集まっている。

「結婚相手に不足はないと思います」……って、意味不明だ。試合の相手じゃないんだから。だめだ、声も裏返っていた。慌てて知多さんがフォローしてくれた。

「これは都築なりの褒め言葉なんです」

「相手に不足はない、ですか。早く、対戦したくなってきた」

伊東はこの縁談を大いに気に入ったらしく、見合いは来週末でどうですか、と日程まで出してきた。まだ、妻は何も知らないんだけど……。でも、もう後戻りはできない。

絶対にまとめなければならない縁談がここにあるのだ。

「都築さん、一つ聞いていいですか」また、質問された。とりあえず、なんでも答えて、怪しまれないようにしないと。

「何でしょう」

「都築さんは、ご結婚されているんですか？」

「結婚している……かな」

一瞬、知多さんの顔色が変わった。してないって誤魔化せばよかった……。

「かな、って変な言い方ね。はい。実は、この中で既婚は都築だけです」

「個人的なことを伺いますが、結婚っていいものですか」

「結婚、ですか」

「あら、私も興味があるわ。教えて。伊東さん、いい質問ですわ」

「………」からだが熱くなってきた。

「婚活アドバイザーが結婚を否定するわけにはいかないか」

次の瞬間、僕は思いっきり目線をあげて答えた。

「とてつもなく、いいものです」２人はあまりの自信のある言い方に驚いていた。僕は続けた。

「結婚しないと絶対にできないものがあります」

「結婚しないとできないもの？」「何かしら」２人は身を乗り出してきた。

「一つは、家庭です」期待していた答えではなかったのか、２人はキョトンとしていた。

「まあ、実家には家族はいるけど……、そういう意味じゃないわよね」知多さんが言った。

「なるほど家庭か」

「家庭があると、誰かが『いってきます』って言うと、誰かが『いってらっしゃい』と言う。誰かが『ただいま』と言うと、誰かが『おかえりなさい』と言う。あまりいい答えではなかったですか」

2人は気を遣ってくれたのか、そんなことはないと愛想笑いをした。

「言われてみればそうだ。もう何十年も『いってきます』と言ったこともないし『おかえりなさい』とも言われたことがない」

「私なんかたまに1人で『ただいま』と『おかえりなさい』を言うことがあるわ」

「もう一つ。伊東さんは食べることはお好きですか」

「はい、食べ歩き、大好きです」

「食べ歩き、いいですね。これも当たり前ですけど、結婚すると、注文が2倍になります。家族が増えると倍々に増えていくんです」

「今度は独身の胃袋をついてきたか」伊東はニコリとしながら言った。

「これって結婚観なの？」

「安くて美味しい中華に行ったとしましょう。1人だとラーメンを注文。付け加えたとしても餃子《ギョーザ》かチャーハン、追加は1品が限界です。でも、結婚すると2倍注文ができる。まず、前菜に腸詰めを頼んで、ビールで乾杯。その後、餃子もいけちゃう。そして、ラーメンとチャーハンを頼んでも2人で分ければ食べられちゃう。その後、杏仁豆腐も夢じゃない。そして、さらに、家族が増えると……」

「増えると？」２人声を揃えて言い、つばを飲み込んだ。僕は真顔で続けた。

「家族が増えると、前菜の他に、春巻きやシュウマイにも手を伸ばせる。それから、チンジャオロースーにエビチリ。野菜が食べたければ、チンゲンサイ炒めも注文できる。デザートは、メニューを見ながら決をとる。『杏仁豆腐の人』ハーイと娘の声。『マンゴープリンの人』ハーイと息子の声。『一口ちょうだい』と一口契約もできる。料理が余ればテイクアウトもできちゃう。

品数が増えるだけじゃないんです。みんなで食べると人数分、味も美味しくなるんです。テレビで大家族が食卓を囲むシーン。みんな美味しそうに食べているでしょ。家族で食べる飯は、世界中のどんな料理より美味しいんです」

伊東は、うっとりとした顔をして言った。

「こんな美味しそうな結婚観は初めてです」

「一人暮らしで、ケータリングを注文する時、悩むものね。あれって消極的な悩み事よね」知多さんもため息まじりに言った。

伊東は最後に鋭い質問をしてきた。

「都築さんは、家族としてではなく、奥様を愛していますか」

「……はい？」妻を愛してるかって。

「いい質問だわ。聞きたい、聞きたい。愛している？」知多さんは少女のような口調で聞いてきた。

「難しい質問でしたか」伊東は言った。

「いえ。愛しています。もし、浮気をすることがあるなら、自分の妻と浮気したいくらい愛しています」

「浮気って、これから結婚を考えている人の前で」

「浮気するなら妻か。実感がこもっていい。都築さんが私のアドバイザーでよかった。これはお見合いが楽しみだ」

伊東さん、すみません……。お見合いの相手は僕の妻で、今、目の前にいるのは、お見合い相手の夫なんです。

伊東は上機嫌で帰っていった。2人きりになり知多さんは言った。

「本当によかったの。三村さんの話を聞いていたら、彩子さんの再婚相手は見つからないほうがいい気がしてきた」

「いや、知多さんには感謝している。あんな素敵な候補を見つけてくれて本当にありがとうございます」

「一つ聞いていい？　なんで奥様の結婚相手を見つけようと思ったの」

「それはね」

「それは？」

「いい家族だから、僕がいなくなっても終わらせたくないんだ。いい番組は司会者が代わっても続くみたいに。だから、しっかり伊東さんと向き合って、バトンタッチしていくよ」

「ほんと、三村さんはなんでも番組と一緒にしちゃうのね」

「もしばれたら会社の信用は大丈夫？」

「大丈夫。企画が面白いから乗ったんじゃない。じゃなかったら引き受けないわ」

「…………」こんなことに巻き込んで、僕は申し訳ない気持ちでいっぱいだった。

レストランを出るとメールが来た。妻からだ。件名に感嘆符が3つも付いている。

何事？　もしかして病気がバレたのか。恐る恐るメールを開いてみた。

『陽一郎がテストで100点取ったよ！』答案用紙の写真付きだ。

息子も頑張っている。嬉しさと同時に今まで気になっていたことが、こみ上げてきた。……息子に病気のことをなんて言おう。息子だけではない、自分の両親にも何も知らせていない。妻と同じくらい難しい。

とにかく、今は妻の結婚相手探しに集中だ。目の前にあることを達成しなければ未来はこない。その後、息子、両親に話そう。

残された時間はあと1ヵ月だ。

2月24日　余命あと29日

翌日、僕はオフィスビルの前にいた。伊東の会社が入っているビルだ。

伊東は妻を気に入ってくれたが、今度は僕が妻に代わって伊東がお見合い相手に相応しいかを見極めるしかない。

娘はいないが、娘の彼氏に会うような気分だ。

12時を過ぎた途端、大勢のサラリーマンたちがゾロゾロ出てきた。

これからランチに向かう人たちの顔はどこか幸せそうに見えた。集団の中に伊東の姿を見つけた。

「伊東さん」伊東は声に気づき辺りを見回した。

「どうも三村……、いや、都築です」

「都築さん。どうしたんですか」

「たまたま近くまで来たもので」

「さすが、一流の結婚相談所だ。クライアントのケアってことですね」

「すみません。なんだか会いたくなってしまって」伊東は一瞬、不思議そうな顔をした。

「一緒にランチでもどうですか」

伊東は行きつけのレストランに予約の電話を入れた。仕事ができるって感じが電話の話し方から伝わってきた。

「近所にパスタの美味い店があるんですよ」

「パスタは妻も……、いや、三村彩子さんも大好きです」

「そうなんですか。さすが、よく調べてますね」

レストランは3分ほど歩いたところにあった。レストランの名前は「ジョバノッティ」、イタリアの国民的歌手の名前が由来らしい。外壁も店内もパステルブルー、テーブルクロスは赤いギンガムチェックで統一されている。気取り過ぎているわけでもない、品のいい店だった。壁にかかっているジョバノッティと思われる肖像画を除けば。

僕たちは緑が生い茂った窓際の予約席に通された。

「僕のお任せでいいですか」まず僕に気を遣い、気さくな笑顔で注文をする。

「ここのズッキーニのパスタは最高なんです。なんでもイタリアのアマルフィに本店があって、そこと同じ味なんですって。ハリウッドスターの常連も多いんだよね。店長」と店長を見た。店長は自慢気に頷いた。僕は恋人に見とれる女性のように伊東を見つめていた。

「私の顔に何かついていますか」

「いえ、パスタが楽しみです」

僕は、妻の代わりに気になることを会話に混ぜて聞いてみた。家事はするほうか、無駄遣いはしないか、嫉妬はする？ せっかち？ マザコン？ 酒癖は？ どの質問にも伊東は丁寧に答えてくれた。

伊東は、サービスで出たオリーブをつまみながら言った。

「そうだ、奥様はお元気ですか」

奥様？　誰の？　一瞬、頭が真っ白になった。

「ほら、浮気する相手も妻がいいって、都築さんがそう言った、奥様ですよ」

「あーっ、あの妻か……」びっくりした。

「元気です。いたって元気です。もう、驚かさないでくださいよ」ヘラヘラしてる。

子供の頃から、できる男を前にすると、ぱしり口調になってしまう。

「私の結婚が決まったら、是非、奥様を紹介してください。みんなでこの店で食事しましょう。家族で食べれば美味しさも倍になるんですよね。楽しみだ」

「……はい」

「あれから、三村彩子さんの資料を何度も読み返して、僕はこんな人に出会いたかったんだって思いました。なんで前のご主人と別れちゃったんだろう」

「なんでだっけな……」僕はとぼけるしかなかった。

「離婚されたから、今回のお見合いがある。そう考えることにします。それにしてももったいないな前のご主人。今頃、どっかで後悔していたりして」急に冷や汗が出てきた。

「どうです、景気付けにシャンパンでも？」

「生憎、飲めない事情がありまして、気にせず飲んでください」

「健康上の理由ですか？」

「そんなとこです」

「大丈夫ですか？　我々くらいの年が一番、生活習慣病になりやすいので気をつけてくださいよ」

「伊東さん、からだの方は」

「私は健康です。それくらいしか取り柄はないんですが」

「家庭を築くには、健康が一番ですよ」可愛い女の子の店員がパスタを運んできた。

伊東はナプキンを首元に付けると豪快にパスタを食べ始めた。対照的に、最近すっかり食が細くなった僕はチュルチュルすすった。

「このパスタ、美味しいですね」

「いけるでしょ。ディナーもそんなに高くないし。そうだ、お見合いもここにしよう。生憎、僕にはまだ家族がいないんで、ここのメニューをまだ完全制覇できてないんですよ。都築さんと3人なら、たくさん注文できるぞ」

「いいですね。まだ食べたことのないメニューってどれですか？」

伊東はメニューを見ながらまだ制覇していない料理を指差した。

気がついたら店は満席になっていた。どの席でもみんな美味しいお皿を前に笑顔だ。そんな光景を見ていたら、つい心の声が口をついて出てしまった。

「こんなお店で働いてみたいな～」

「えっ、都築さんは飲食業に興味があるんですか」

「料理を運ぶ度に、みんなの幸せな顔を目の前で見られる仕事って、いいなと思って」

ナプキンで口を拭きながら伊東は言った。

「つくづく都築さんは私にない感性を持っていますね。でも、好きだな、そういうところ」伊東は笑った。その爽やかスマイルの方がずっと素敵だけど。

僕たちは、パスタを平らげながら色んな話をした。

いつの間にかランチタイムは過ぎていた。客がひけるのを待っていたのか、伊東は真面目な顔つきで言った。

「私は、都築さんと知り合えて本当に良かったと思っています。ここからは婚活アドバイザーではなく、結婚の先輩として色々、教えてください」

「なんですか改まって」

「ずばり聞きます。結婚生活を長く続ける秘訣は何ですか？」この質問で伊東の真剣さが伝わってきた。とはいえ、秘訣なんてあったっけ？

「伊東さんは、仕事が好きですか」

「仕事の虫にはなりたくありませんが、好きです」

「僕は仕事と結婚はものすごく似ていると思います」

「それは意外ですね。僕自身、仕事が原因で彼女と別れることが多かった」

違う。きっと伊東さんなら、仕事のように家庭を大切にできるはずだ。その思いを伝えたかった。

「男にとって結婚は、やり甲斐のある仕事が一つ増えたってことです」

「仕事が増えた……。そんな風に考えたことはありませんでした」

「仕事の最大の報酬はお金ではなく、次の仕事が来ることですよね」

「それは私も同感です」

「素晴らしい仕事をしたご褒美に、おい、それじゃ、今度は家庭って仕事をやってみろと新しい仕事が舞い込んでくるんです。それが結婚です」

「どなたから舞い込んでくるんですか」

「それは……神様から」

「なるほど」伊東は頷いた。

「もう一ついいですか。テレビ番組では、制作者が番組への思いを企画書にまとめます。そして、企画に相応しい出演者にオファーをします。いわば出演者と企画のお見合いです。出演者が引き受けてくれたら企画が成立。晴れて番組がスタートします。新番組は、最初は何をやっても新鮮に感じますが、何回も同じことばかり続けるとだんだん飽きてきます。伊東さんなら、こんな時、どうします？」

なんて答えるのだろうか？　伊東は即座に答えた。

「マンネリ化する前に、次の手を用意します。もう一度、初心に返り、企画が通った時の感動を思い出します」僕は感動した。伊東から期待通りの答えが返ってきたからだ。

「そういう番組は絶対に続きます。ほらね、仕事ができる人は家庭も作れるでしょ」

「仕事と同じか。それが結婚なんですね。それなら僕にもできそうな気がしてきた。都築さんと話す度に勇気が湧いてくる」

僕はお見合いまでの間、しつこいくらい伊東につきまとうことにした。朝の通勤途中で、待ち伏せしたり、一緒に酒を酌《く》み交《か》わすことはできないが飲みにも行った。さらに、休日も、お見合い用の洋服を買いに行くのにもついていった。伊東も、嫌な顔一つせず、僕のしつこさを受け入れてくれた。

伊東と会う度、妻の理想の夫に思えてきた。

ある日、妻の結婚相手に相応しいと思える出来事があった。

それは、映画に誘い出した時のことだった。

僕と妻は笑うポイントが一緒だ。楽しいことが一緒であれば、幸せを共有できる。

そう思い、伊東とある映画を観た。昭和の経済成長期を舞台にした家族の心温まるコメディだった。頑固親父と妻、子供のやりとりが面白いと評判の映画だ。

しかし、期待は外れた。僕が笑ったところで伊東は笑わず、伊東が笑ったところで僕は笑わなかった。

映画を観終わり、少し残念な気持ちで場内から出ると、ロビーには次の回の上映を待っている人たちがいた。出入り口に向かって歩いていると、伊東はある親子に近寄っていった。40代くらいの父親と小学校低学年くらいの女の子だった。知り合いなのかな？　伊東は父親を娘に聞かれないように少し移動させ話しかけた。

「すみません。これからこの映画を観るんですよね？」

「は、はい……。それが何か？」ふいに声をかけられた父親は驚いていた。

伊東は女の子に聞こえないように注意を払い、話を続けた。

「映画は面白かったです。実に笑って感動できます」

「そ、そうですか……」

「ただ、一つだけ忠告があります。実は、映画の途中で一瞬、サンタクロースなんていないと思えてしまうシーンがあるんです。勿論、この世にサンタクロースはいます。でも、この映画では子供が寝ている時、父親がこっそりクリスマスプレゼントを置きにいくんです。父親が酔っぱらって帰ってきたあたりです。数秒のシーンなので、娘さんの目を覆《おお》うなり、話しかけたりすれば通り過ぎます。大きなお世話かもしれませんが」伊東はお父さんに頭を下げていた。

「いや、ご忠告ありがとうございます。見ず知らずの方のお話に感動したのは初めてです」

このやりとりを見て僕はウッと来た。そして、確信した。

この人が妻の再婚相手だと。

第六章　妻と別れよう

2月28日　余命あと25日

知多さんから連絡があったのは、伊東とランチをした翌日のことだった。遂にお見合いの日取りが決まったのだ。

しかし、伊東は本当のことを知らない。妻に至っては何も知らない。収録日が決まっているのに、キャスティングが固まっていない状態だ。

人妻がお見合いをするわけには行かない。だから、一番辛い壁を乗り越えなければならない。

妻と別れるのだ。

　いったい、どうやって別れるのか？　相手は手強い妻だ。性格の不一致など御託を並べたところで、きっと見透かされてしまう。考えた挙げ句、思いついたのは、かなりベタな企画だった。

　そして、今日、それを実行する。

　僕は息子の塾の目の前にあるカフェである女性を待っていた。

「こんにちは、三村さんですか」

「待ってたよ」やってきたのは20歳になるアイドルのモモちゃんである。知り合いのマネージャーに深夜番組のロケと偽り、アイドルを1人、用意してもらった。

　僕は、もうすぐ塾にやってくる妻にわざと見つかるよう、通りに面したテラスにモモちゃんを座らせた。

「三村さん、具合悪そう」

「そう見える？」最近、体調がすぐれない。もう、見た目にもわかるのか……。

「それよりモモちゃん、台本読んできた？」

「はい。三村さんの恋人役ですよね」

「そう、深夜番組で、相手役を雇うお金がないんだ。メインはモモちゃんだから、気にしないで演じてくれればいいから」

「頑張ります。カメラさんとかはいないんですか？」

「いい質問だね」僕はとっさに嘘をついた。

「ほら、あのビルの屋上に人がいるだろ。あれがカメラさん。あそこからモモちゃんを隠し撮りしてるの。その方がよりリアルに見えるんだ」

「ほんとだ、誰かいる。おーい、カメラさん」

「だめだめ、手なんか振っちゃ」慌ててモモちゃんの手を下ろした。たまたまビルの屋上に人がいたお陰でモモちゃんはすっかりロケだと信じている。

「屋上から、モモちゃんを撮影しているからね。いいかい、合図をしたら、モモちゃんは僕と手をつなごう」

「はい」

10分が経過したところで、歩いてくる女性がいる。妻だ。いよいよ作戦決行だ。妻は、保護者会で塾にやってきた。そこで妻は僕の浮気現場を目撃する。

毎日、仕事に出掛けると言って、アイドルと密会を重ねていたとわかれば、妻は僕に幻滅するだろう。

「モモちゃん、スタート！」

さすがアイドルだ。本番になった途端、モモちゃんは僕の手を握り、本当の恋人のように甘えてきた。妻は僕に気がついた。僕はモモちゃんの肩を抱き寄せた。妻は立ち止まり、こちらを見ている。遠目でも怒りで肩が震えているのがわかった。作戦は成功だ……。僕は必死でモモちゃんの肩を抱き寄せ時間が経つのを待っていた。たった数十秒の出来事だったが、気が遠くなるほど長い時間に思えた。気がついたら妻の姿はなかった。淋しい気持ちが押し寄せてきた。これでいいんだ。

僕は夕方になるのを待って帰宅した。

「ただいま……」

返事はなかった。薄暗いリビングに妻はいた。

「おかえり」

「ああ、今日も仕事忙しかった……」

「あれが仕事なの？　いったい、何がしたいわけ。わざと私に見せつけて」

「えっ、何のこと？　もしかして見ちゃったんだ……」できるだけふてぶてしい態度で受け答えする。辛くて仕方がない。

「番組を利用してアイドルに近づくなんて最低じゃない。いつから？」

「1年くらいになるかな」

あまりにもストレートに白状したので妻は面食らっている。

「ははーん、忙しいふりして、そういうのがいたんだ」

できるだけふてぶてしく言うんだ。

「彼女とは、気が合うんだよね。彼女に言われてダイエットも始めたし」

「どういうこと。魔が差したの？」

大好きな妻への想いを、命を削って真逆に変換するんだ。心が折れそうだ。かけがえのない夫婦の道のりを逆走するように僕は切り出した。

「本気なんだ。彼女を……愛してる」

「愛してるか……。そんな言葉使うんだ」

愛してるのは彩子だ。

「いい番組を作るには、今のままじゃダメなんだよね。自由に生きて、面白いバラエティを作って、もっと有名になりたいんだ。だから別れたいんだ」

「本音……？」妻は小さな声で言った。

「本音だよ。今まで、ずっと彩子に合わせてたの。気づかなかった？」

妻は深くため息をついてから、言った。

「何が気に入らないの？」

「そういうところかな。ほら、受験で忙しそうだし、もはや夫婦っていうよりお母さんじゃん。こっちはあくせく働いて、家に帰ってきた時くらい癒されたいのにさ。そういうの無理でしょ」

「修治が忙しくても、どこかでつながっているって信じていたのに」

「そういう独りよがりなとこも嫌なんだよね」

「……わかった。いたらないよね。本当に私はいたらないよね。修治が忙しくてもちっともフォローしてあげてないし」

「いつも陽一郎が先で、修治は後回しだったものね」

そんなことない。そんなことはないって。彩子は完璧な妻だって。

「わかった。まだ男盛りだもんね。その彼女と幸せになって。ごめんね。修治の人生から出て行きます」

妻はそう言い残し部屋を出ていった。行かないでくれ。

この日、妻は帰ってこなかった。

3月1日　余命あと24日

翌日、想定外の事件が起きた。朝、テレビをつけるとモモちゃんとマネージャーが芸能リポーターに囲まれていた。

どういうことだ。――アイドルと番組スタッフが不倫⁉　バラエティ放送作家のお粗末パワハラ――というサイドスーパーが出ている。

「全く、けしからん」スタジオで司会者はスポーツ紙をバンバン叩きながら呆れている。そこには、明らかに、モモちゃんと僕がいちゃついている写真が載っていた。まさか……。あの屋上にいたのは、モモちゃんを狙っていたスポーツ紙のカメラマンってことか。思わず倒れそうになった。

マネージャーは交際を全面否定し、一方的に相手に言い寄られたと訴えている。モモちゃんも「あんなオジサン好きじゃありません」と涙ながらに会見していた。

どうしよう……。

「ただいま」

玄関のドアを開けると、目の前に鬼のような形相《ぎようそう》の妻が立っていた。

「お、おかえり……」

「なんなのあれ?」

「あれ?」

「もういい、そんなわざとらしいリアクション。あのアイドルとひと芝居してまで、私と別れたいってことなの」

「………」

「いったい、何を隠してるの?」

「………」

「黙ってちゃ、わからないでしょ」

僕は返答に窮した。

「そんなに別れたいなら別れてあげる。でも理由だけは話して」

しばらく沈黙が続いた。鬼のような形相は哀しい妻の顔に変わっていた。

「じゃあ、私から言うけど、修治、何か、大事なこと隠してない?」

「大事なこと?」

「あのさ、そろそろ話してくれてもいいんじゃない。病気のこと……」

「そんな、別に隠していることもないし……」

「うそ。お弁当のおかずに手を付けなくなったり、医療の番組を録画したり、これでも隠していることないって言うの？」

「それは……」

「ずっと話してくれるのを待っていたけど。大事なことを言いあえない夫婦なんて、そんなのなしだよ」

何も言い返せなかった……。

「もういい」

妻はやるせないため息をつくと寝室に閉じこもってしまった。妻を幸せにする準備に横入りしてきたのは、妻の真心だった。

ついに妻に病気のことを告げる時がやってきた。

僕は大きな深呼吸をして妻のいる寝室に向かった。何度もドアの前で止まり、何度も行ったり来たりする。カラダ全体にのしかかる憂鬱を力ずくで引き離し覚悟を決めた。大気圏に突入するロケットの如く、決死の思いで歯を食いしばる。もう妻に隠しているわけにはいかない。寝室には鍵がかかっていた。ドアをノックしてみるが一向に返事はない。

「彩子、今から言うことをしっかり聞いてほしい」

ドア一枚隔てて僕は話し始めた。

「僕は彩子を幸せにするために結婚しました」

「もうすぐ、それができなくなる。つまり……」

「実は、すい臓ガンです。病院で残りの命を告げられました」

「僕の余命は……、あと1ヵ月です」

遂に言ってしまった。ドアの向こうからすすり泣く声が聞こえる。こっちも涙が溢れてくる。必死で必死で拭った。足音が聞こえ鍵の開く音がした。カチッ……。ゆっくりとドアが開いた。僕は涙をぬぐい、愛する人を静かに抱きしめた。いつも急な報告ばかりでごめんなさい。

「なんで黙っていたの」

ごめんなさい……。

「なんで、もっと早く言ってくれないの。今から病院に行こう」

「その話なんだけど、実は、考えていることがあって」

「まさか入院しないって言う気？」

「ちょっ、ちょっ、落ち着いて話聞いて」

妻の悲しそうな泣き顔が真顔に変わった。

「折り入って相談があるんだけど」

「嫌だ。嫌だ。聞かない！　聞かない！　どうせろくな話じゃないから」

「あのさ、悪い話じゃないんだ」

「だめ、聞かない、聞かない」

「もう決めたことだし……」

「何を決めたの？　絶対、そんなの許さないからね」

「話だけでも聞いて」

「嫌だ。絶対に聞かない。なんか悪い予感してきた。絶対に、聞いたら修治の言う通りになっちゃうもん」

「そんなことないって」

「いや、今までずっとそうだった。とにかく、とにかくゆっくり治療して！」

僕は廊下に座り込み土下座して頼み込んだ。

「実はさ……」

「言い出したら聞かないその性格も病気と一緒に治しなさいって。あのさ、ずるいよいつも、いつだって」

妻をソファーに座らせ僕は妻の前にひざまずいた。

「あのね、彩子に会って欲しい人がいるんだ」

「はっ。会う。って誰に？」完全に妻の顔から涙は消えていた。

「大丈夫、変な人じゃないから」

「やっぱ、嫌だ。嫌だ。会わない。誰とも会わない！　やめ！　やめ！　ろくなことにならない。いつも、私が折れてばかり、ねえ、ちゃんと病気のこと教えて。もっと病気のこと話そ……。今、入院の支度してくるね」

立ち上がり離れようとする妻を必死で押さえる。でも力が入らず引きずられる。

「ちょぃちょぃちょぃ」

「嫌だ！　嫌だ！　あーあーあーあー！」

妻は手で耳を塞ぎ、抵抗している。僕は必死で妻の顔を見ながら、最後のワガママを言う。

「お見合いしてみない？」

突拍子もないとはこのことである。妻は僕の言ったことが理解できず固まったままである。

「お見合い？」

「僕が生きているうちに婚活しない？」

妻は驚き過ぎたのか、息を吸ったまま固まった。

「大丈夫！　あの原山典子を再婚させた女社長もついているから。一緒に結婚相手を探そう」

次の瞬間、妻にフルボリュームでキレられた。

「ざけんな――――！」

3月5日　余命あと20日

一番妻のことを好きな人間が一番妻を傷つけている。

あれから妻は全く口をきいてくれなくなった。

この何ヵ月かは妻の未来を考えることが自分の残り少ない未来を考えることだと思えた。

でも、それは傲慢でしかなかった……。

「いってきまーす！」

まったく返答がない。そりゃそうなるわな……。

僕は風が吹き荒れる雨の中、コートの襟《えり》を立て、伊東のもとへ向かった。すぐに会いたいとメールがあったからだ。こっちの方も嫌な予感がする。もし、妻が断固、お見合いを拒絶したら、何て言おう。本当は、このまま海にでも行って「バカヤロー」と叫びたい気分だった。

途中、妻に何度も電話を入れてみる。呼び出し音がこだまするだけで出る気配すらない。

窓の外は風と雨が吹き荒れている。サラリーマンが必死に傘を押さえて前に進もうとしている。彩子の目には、そんな姿すら映らなかった。

『修治は何故、最後を家族と生きてくれないのだろう』

突然、夫に余命を知らされ、悲しみを受け入れる前に、とんでもないお願いをされてしまった。妻としての覚悟もさせてもらえない。

いつだってあいつはそうだ。思えばいつも修治に振り回されてきた。いつも、とぼけた顔で突拍子もないわがままを言ってくる。

番組に使えそうだから、世界一のバンジージャンプを試したいとアフリカに行った時もそうだ。氷点下の地で、泣ける映画を観て涙が凍るかを実験したいとアラスカに行った時もそうだ。いつも帰ってくるまで生きた心地がしなかったが彩子は了承してきた。

今回ばかりは、ふざけすぎだよ……。彩子はそう呟いた。その言葉と同時に雨と闘うサラリーマンの傘がコントのようにぶっ壊れた。

彩子は修治の仕事部屋にいってみた。いつも修治が仕事で使う椅子に座ってみた。どうしたら修治を入院させられるかを考えていた。いつも修治が仕事をしている場所で考えると、いい考えが閃きそうな気がしたからだ。

必死にお見合いの話を切り出してきた時の目を思い出すと迷ってしまう。いつも修治が番組を作っている時の目と同じだ。昔、私の方が先に逝っちゃったら、さっさと再婚してね、と言ったことがある。でも、今回はそれと意味が違う。何が正しいのかがわからなくなってきた。

「普通でいいのにさ……」

椅子でくるくると回りながら、彩子は涙が止まらないでいた。

「一秒でも一緒にいようよ……、命が足りないなら私のを使ってよ……」


伊東に急に呼び出され、待ち合わせの場所にいくと、雨と風が吹きすさぶ中、鬼の形相で男が立っていた。どう見ても伊東正藏だった。

「今日は私が何故、都築さんを呼び出したかわかりますか。いや、放送作家の三村さん」

伊東は手にスポーツ紙を持っていた。ダメだ、完全にばれてる。

「えっ？　僕は都築ですけど……」

「もうよしてください。三村修治さん。怒りを力一杯抑えてお聞きします。あなたと三村彩子さんの関係は何ですか？」

「申し訳ありません」

「私は、謝れなんて言ってない。質問に答えてください。三村彩子さんとの関係は」

「□△※○◇◎です」

「聞こえない」

「おお……です」

「はっ？」

「おおとです」

「ん？」

「おっとです」

「夫？」

「今まで隠していました。僕が妻の夫です。本当にごめんなさい」

僕はすべてを話した。余命のことも、放送作家であることも、妻の結婚相手を探していることも……。一つ一つ解明される度、ストロボ写真のように伊東が愕然としていくのがわかった。主治医が、ニセ医者だとわかったみたいに、とにかく、どんどん引いている。

「もう、いいです。自分で話していても全部が言い訳に聞こえた。そんなに人をバカにした話ってありますか？」

「………」なんも言えね……。弁解の余地がない。

「本当に奥さんのこと好きなんですか？　私に話してくれた話は何だったんですか」

言われても当然だ。僕は妻を傷つけただけだ。本当に妻を愛しているのだろうか……。伊東との間にできかけた信頼ががたがたと崩れていった。

「不愉快過ぎる。テレビの人はこんなことして楽しんでいるんですか。もう、何も聞きたくないです」

「待って、そんなつもりじゃなかったんです」去ろうとする伊東にすがったが軽々、よけられてしまった。鞄の中身が散乱する。

僕は去っていく背中に土下座するしかなかった。

すみません……。やってしまった。

人の心を踏みにじった企画に未来はない。すべてが振り出しに戻った。

僕は鞄の中身を拾い集め、雨に濡れながらとぼとぼと駅に向かった。北風が身にしみた。体も重くなってきた。ハアハアハアハア、肩で息をするのが精一杯だった。

背中には痛みも走っている。

「あのー、これあなたの落とし物じゃありませんか」

「落とし物？」振り向くとびしょ濡れのサラリーマン風の男が立っていた。僕のネタ帳と壊れた傘を持っていた。男はネタ帳をパラパラめくりながら言った。

「なんか大切なことが書いてあるノートに思えて」男は勝手に読み始めた。

「へーっ、面白いですね。『企画に迷ったら「そもそも」に戻れ』なるほど。『一言で言えなければまだ企画になっていない』そうだよな。『企画が普通過ぎて面白くないなら逆にふれ』そういう考え方もあるか」そして、あるページを見た時、興奮気味で言った。「この言葉なんて、すごくいい」

男が僕に見せたページにはこんな言葉が書いてあった。

「壁にぶつかった。これは現実か。なら乗り越えよう　ｂｙ　俵屋三幸」

僕の体に電流が走った。そうだ。まだ生きているんだ。伊東にブチ切れられたくらいがなんだ。この言葉からそんな声が聞こえた。壁にぶち当たる。ならば、乗り越えればいいだけなのだ。あるディレクターは東京中の坂を全力で駆け抜けて大物俳優と仕事ができた。芸人の江口は売れなかったことに拗ねずに婚活本を書いた。山田みどりは本気で結婚に立ち向かった。やり遂げた人間に共通していることは、諦めなかったということだけだ。

妻には伊東が必要なんだ。バカな夫のわがままを、いつだって笑わずに聞いてくれた妻を幸せにするために、僕は今、生きているんだ。勇気が湧いてきた。からだの中に、まだ勇気が残っていた。

「この……『だめだこりゃ』っていうのも、名言なんですか？」

それは、たまたま書いただけの、有名なギャグだ……、という説明をしている暇はない。僕は男を思いっきり抱きしめた。

「ありがとう。君のお陰だ。あやうく諦めたまま死ぬところだった」

「実は、わたくし、談英社の暮家《ぼや》と申しまして、こんな名言集を出版してみた……」

「ごめん、時間がないんだ。よかったら、これ、君にあげる」

僕は大急ぎで駆け出した。勿論、伊東正藏のもとへだ。もう一度、掛け合ってみよう。

伊東の会社の前で何度も電話をする。

8回目でやっと出てくれた。でも、受話器の向こうは無言だった。わずかな隙間に向かって、切らないでください、もう一度だけ話を聞いてください、だけを何度も繰り返した。

しばらくして、伊東は姿を見せてくれたが、僕に一瞥《いちべつ》もくれず歩き出し、近くの喫茶店に入った。

伊東は腕を組んだまま黙っていた。僕は何度も何度も額をテーブルにこすりつけてお願いした。店員と周りの客たちは何事かという顔で僕らを見ている。

「何度、お願いされても、奥さんとお見合いしてくれなんて、そんな話、私には全く理解できない。第一、肝心の奥さんは了承しているんですか」

「いえ……。まだです……」

「だったら、話にならないじゃないですか。これはテレビ番組じゃないんですよ。私は、バラエティの人たちが勝手に考えた企画の笑いものになるのはご免です」

「違います。それは誤解です。僕の番組で出演者を笑いものにしたことは一度だってありません。これだけは命にかけて言えます」

「だから、今、そういう話をしているんじゃなくて。この突拍子もないお見合いのことを言っているんです。わからない人だな」

「わからない人で構いません。お願いです。妻とお見合いしてください」

伊東は僕の手を握り言った。

「私は、三村さんの言葉に救われました。結婚して家庭を持つ勇気が湧いてきました。それはあなたが心の底から家族を愛していると感じたからです。だから、なおさら、直ちに入院して、最後の最後まで家族と過ごしてほしいんです」

僕はすがる気持ちで言った。「そこをなんとか……」

伊東はだめだこりゃという顔をして店を出て行った。

寒空の中、あてもなく歩いている。もう、どうしていいのかわからなくなってきた。こんなに孤独感を感じたことがないくらい孤独だった。

僕の余命は大事な人たちを傷つけただけだったのか……。

どうやって帰ったかもわからないが、気がつくと息子の部屋で電気も点けずに、僕は途方に暮れていた。ワイドショーがきっかけで、すべてがバレた。そして完全に妻と伊東に愛想をつかされてしまった。知多さんにお詫びの電話を入れたがつながらない。メールをしても返事がない。体も重い。さっきから咳が止まらない。腹部が膨らんでいる。きっと、腹水だ。最悪だ……。散らかっている塾のプリントを拾い集めながら息子の字を眺めていた。

社会のプリントに「しまなみ海道」「ピーマン」「二毛作」「中尊寺」「ラムサール条約」と息子の字が躍っている。このミミズがはったような字から息子の頑張りが伝わってきた。

「お父さんは、もう、どうしていいかわからないよ」

これから色々な問題に直面する息子に、お手本になることもできずに死んでいくのかと思うと情けない気持ちでいっぱいだった。

息子の机にアルバムがあった。懐しい写真がたくさんある。どれも楽しい顔をしている。この時、もうガン細胞は生まれていたのか。何を食べたからガンになったのか？　どんな無理をしたからガンになったのか？　何をしなければガンにならなかったのか？　もっと生きたい。家族といたい。僕はアルバムを抱きしめ、その場にうずくまった。

1時間ほど経ったのだろうか。僕は、気絶するように床で寝ていた。机の上に置いた携帯電話がブルブル震える音で目が覚めた。知多さんからだ。

「もしもし、本当にごめん。僕はなんてことをしてしまったんだ。知多さんの信用に傷をつけてしまっただけでなく、あんなに素晴らしい人間の伊東さんも裏切ってしまった」電話口で知多さんが、わーわー叫んでいる。

「知多さん、死んでお詫びをしようにも、もうすぐ死ぬし……」僕の心からの弁明に知多さんが割り込んできた。

「聞いて、聞いて！」

「……えっ、何を？」

「さっき伊東さんから電話があって。受けてくれたのよ」

「何を」

「私たちの提案。つまり三村さんの奥様とお見合いしますって」

「だって、あんなにあきれていたよ」

「何度も何度も真剣に考えて、遂に決心がつきましたって」

「嘘だ。ものすごく怒っていた」

「ほんとだって」

「ほんと……？」

「三村さん、聞いて。お見合いは3日後よ。この企画、絶対に成功させるのよ」

「でも……」

「でも、何？」

「妻をかんかんに怒らせてしまった……」

「しっかりして。企画は制作者が諦めたら終わりなんでしょ。聞いてんのか、三村！」

玄関でガチャガチャ鍵を開ける音が聞こえた。

「ただいま」何事もなかったかのような元気な妻の声がした。

「……おかえり」

妻は僕にグッと顔を近づけ、言った。

「私、お見合いしてもいいよ」

僕は妻の顔を見つめることしかできなかった。「もしもし、聞いてる？　どうしたの?」携帯電話から知多さんの声がもれていた。

第七章　僕の妻と結婚してください

3月8日　余命あと17日

人生で初めてのお見合いは、東京に大寒波が押し寄せた記録的な寒さの日だった。場所は伊東が行きつけのイタリアン「ジョバノッティ」の個室にした。

暖炉の薪《まき》がパチンと音をたて炎をあげた時、お見合いは始まった。テーブルに向かい合って伊東と妻が座り、僕はお誕生日席に座った。

乾杯のあと、僕が口火を切った。

「本日は、大変、お寒い中、お越しいただきありがとうございます。これから、伊東正蔵さんと三村彩子さんのお見合いを始めさせていただきます」なんだ、この不思議な空気は。

「こちらが伊東正藏さん、インテリアの販売会社の社長さんです」

伊東のしっかりした目礼のあと、妻は小さなお辞儀をした。

「そして、こちらが三村彩子さん。10歳の男の子がいるお母さんです。ロールキャベツとか、春巻きとか、餃子とか、巻く感じの料理が得意です」

完全にテンパっている。妻は、何その紹介？　という顔をしている。

絶妙な司会でオープニングから盛り上がるはずが、なんだかシーンとなってしまった。

「いい匂いがしてきた」と静まり返った空気をかき消すように妻が言った。

何皿も料理が美味しい匂いをさせて行進してきた。その中には伊東がまだこの店で制覇していないメニューもちゃんと入っている。

「今夜のコースは、誰が注文してくれたんですか」

料理をテーブルいっぱいに並べながら店長が伊東の質問に答えた。

「昨日、三村さんがわざわざいらして、念入りに今日のメニューを決めてくださったんです」

「えっ、そこまでしてくれたんですか」

伊東は顔をほころばせながら言った。

「大事な日だって言ったら、店長が3人で全メニューを制覇できるようにしてくれたんです」僕がそう言うと、店長は自慢気にアゴの鬚《ひげ》を触っていた。

「こうやって人を楽しませるのが、三村の仕事なんです」妻はそう言うと、いただきますと元気に言って、誰よりも先に食べだした。

料理はどれも美味しかった。お見合いというより宴会だ。

伊東は大人が会食でするであろううんちくや、世界の観光地の話をしてくれた。

僕もテレビの話をたくさんした。リップサービスで、まだ発表されていない春の新番組や性格の悪い芸能人の話もした。


妻がトイレに立った時、僕は伊東にどうしても言っておきたいことがあった。

「この度は、本当にありがとうございます。そして、ここまでの数々の無礼、申し訳ありませんでした」

「いえ、私こそ、失礼なことを言って反省しています」伊東は頭を下げた。

「いえいえ、頭をあげてください。それより伊東さんは何故、この話を受けてくれたんですか」妻が戻るまでに答えるには時間が足りない質問だった。

「とにかく、あなたを信じてみようと思ったんです。三村さんが一番おすすめの相手だったら間違いないと」

「本当ですか？」

妻は自信満々の顔で頷いた。

「本当です」伊東は自信満々の顔で頷いた。

妻はトイレから戻ってきた。なんだか少しだけ奇麗になった気がした。

お見合いからの帰り道、妻は僕より少し先を歩いていた。そして振り返って言った。

「病気のこと、陽一郎には話すの？　あいつが今、あんなに頑張っているのは、修治に影響されてなんだよ。毎日、本当によくやっているよ。最後までかっこいいお父さんでいてね」

「…………」

「あと……」

「あと何？」

「お父さんにだけは病気のことを話した……。それと修治さんは残りの人生を懸けて大きな仕事を成し遂げようとしてますって……言った」

「何か言ってた？」

「自分で決めたことなら、私たちは何も言わない。息子を信じてるって」

「…………」

3月12日　余命あと13日

伊東から電話があったのは、体調がいい午後のことだった。今すぐ会って話がしたいと言われ、僕は大急ぎで待ち合わせの場所に向かった。

「お体の調子は如何ですか？」

「病気以外は至って元気ですよ」

「これは笑っていいんですか？」

「余命ギャグです」精一杯ふざけてみるが、体調はすぐれない。

「たくましいですね……」

「人生に対して鈍感なだけです。それよりどうしました？」

伊東は背筋を伸ばし率直に言った。

「彩子さんから正式に交際を申し込まれました」

いきなりフラッシュを連射で浴びせられたように面食らった。次の瞬間、心の奥の方から嬉しさがこみ上げてきた。

「本当ですか。やった。やった！」遂にここまでこぎ着けた。

「落ち着いてください。但し条件を言われてしまいました」

「何ですか？」

「これだけは絶対と言われました……」

「わがままなこと言ってきたら突っ返していいですよ。ちょっと優しいとこ見せるとすぐにつけ込んできますからね」

「いいえ、私も、その場で了解しました」

「だめですよ。たとえ妻に一理あったとしてもすぐ返事するといい気になる。こういうことは初期設定が肝心です。場合によっては僕からガツンと言ってやりますよ」

「デートは必ず3人でと言われました」

「………」

その日から奇妙な三角関係が始まった。

メールも3人で共有し、待ち合わせの場所や時間を連絡しあった。伊東は、3人デートの幹事をかって出てくれた。僕は妻と行きたかったレストランをリストにして伊東に送った。妻はデートにカメラを持参するようになった。

デザートを食べながら、息子が塾から帰ってくる時間までたわいもない話で盛り上がった。

「僕が熱を出した時、妻は珍しく親身になって看病をしてくれたんですよ」

「嫌だな、その話、伊東さんに言うの」妻は笑いながら言った。

「妻が夫の看病をする、いい話じゃないですか」

「そう思うでしょ。妻は、僕の額に冷たいタオルを載せて、何度も取り替えてくれたんですよ。熱にうなされながら、なんて優しいんだろうって感動していたら、信じられないことをしていたんです」

「何をされたんですか」

「僕の額を利用して、冷凍の豚ロースを解凍してたんです」

「電子レンジが故障してたんだもん」

「夕飯の豚しゃぶを夫の熱で解凍するって、女って怖いでしょ」

「そんな節電は聞いたことない」伊東は声を出して笑った。

翌日も3人で映画に出掛けた。

妻が好きなアメリカの女優が主役のラブコメディだった。妻は僕と伊東の真ん中に座った。

映画は、独身女性の恋心を面白く描いたもので、何度も場内は笑いに包まれた。その時、僕はあることに気づいた。3人の笑うつぼが揃ってきたのだ。他の客が笑わない箇所も、僕たち3人は吹き出して笑っていた。

ラストで主役の女優は、長年付き合っていた男性と別れ、もう一人の男性を選び、熱い抱擁を交わしたところで終わった。僕はエンドロールを眺めながら、そのシーンに2人の未来を重ねあわせていた。

最初は正三角形だった三角関係は、妻と伊東がお互いの良さを知るにつれ少しずつ二等辺三角形になってきた。2人の距離が少しずつ近づいていくのを僕は肌で感じていた。

3人デートも1軒目だけで、2軒目からは2人きりで繰り出した。僕は、息子の塾が終わる時間を見計らって先に帰宅した。

少しだけ本音を言うと、妻が2人きりのデートから帰ってくるまで、ものすごく長い時間、待っている気分だった。これがやきもちというのだろうか？　残り少ない余命が妻のおかげで長い時間に感じられる。

僕は程よいジェラシーと一緒にベランダに座り妻の帰りを待っていた。マンションの玄関にタクシーが止まるのが見えた。慌ててリビングに戻りソファーに寝転びながら週刊誌を読むふりをした。

「ただいま～。こんな薄暗いとこで何してるの」

「おっ、おかえり。週刊誌に夢中になりすぎて気づかなかったよ」

「何読んでるの。〝スッピン美女こそ最強！〟……死に化粧、気にしてんの？」

「どきっ。余命ギャグにしてはキツ過ぎる。つーか、もう帰ってきたのかよ。もっとゆっくりしてきて良かったのに」

「あ・の・さ、私は主婦であり母なの。陽一郎の朝ご飯とかあるでしょ。もうこんな時間だ、さあ、寝よ。寝よ」

妻は驚くような早さでメイクを落とし、パジャマに着替え、歯を磨きながら、器用にもう一つの手で携帯電話をいじっていた。

「えっ、早っ。本当に伊東さんって律儀《りちぎ》だよね。もう今夜のお礼メールが届いてる」

「そこがいいとこじゃん。そんな人だからお前に紹介したんでしょうが」とブツブツ言いながらメールをチェックした。しかし、そのメールは僕には届いていなかった。代わりに別の男から「誕生会の件、了解です。乾杯が合図ですね。楽しみにしてください」と書かれたメールが届いた。

3月15日　余命あと10日

僕には愛する息子がいる。名前は三村陽一郎。小学校5年生。

僕は、息子に病気のことを言えずにいた。何度もチャレンジしようとしたがどうしても最初の言葉が出てこなかった。

それを察し、息子に話してくれたのは妻だった。

「あのさ、一生のお願いがあるんだけど……」お見合いのお願いの舌の根も乾かぬうちに妻に蠅《はえ》のように手を擦りながら頼んだ時、妻は言った。

「病気のことでしょ。私から陽一郎に言った。2人で真剣に話した」

話してくれたんだ……。言う方も聞く方も辛かったろうな。夫も父親も失格だな……。

「何から何まですみません」

「陽一郎がどんな反応だったか、聞かないの？」

「……いや、そんな辛い役、彩子にさせて、聞く資格ないよ」僕は申し訳ない気持ちでいっぱいだった。

「家族の大事なことだから言うね。陽一郎は知った時、私にしがみついて大声で泣きました。ずっとずっと泣き続けました。私はただ陽一郎を抱きしめました。

涙が涸れて、陽一郎は言いました。『お父さんのために僕は笑う』って。もっと聞きわけのない子供でいいのに。あいつは修治のことを本当に本当に尊敬してるんだからね」

「…………」

「何落ち込んでるのよ。落ち込んでる暇ないでしょ、もうすぐ死ぬんでしょ」

そして、妻は優しい表情で言った。

「陽一郎のお願い聞いてあげてくれない？」

「お願い、何、何？」

「お父さんの体調がいい日でいいんで、2人で散歩に行きたいって」

「もう、もう、そんなこと、お易い御用だよ。点滴を背負ってでも行くよ」

「いい息子持ったねーっ」

これも妻が育ててくれたおかげだ。

3月16日　余命あと9日

僕は息子を誘い出し、昔2人で、よく行った川べりに出掛けた。

この日は太陽がやけに眩しかった。3月だというのに初夏のような陽気だ。

息子は妻にカメラの使い方を教わり、何かと僕の写真を撮っていた。戯《おど》けたポーズをとる度、笑っていた。

「いい感じに撮れてるよ。遺影にでも、する?」息子の冗談を初めて聞いた。

写真の空がとても美しかった。息子が撮ってくれた写真を遺影にするのも悪くないか。

川べりを2人で歩いた。親子でこうして一緒に歩くのはかなり久しぶりだ。

僕は言った。

「お前が生まれた日は……」

「どうしたの？」

「今日みたいに晴れてたよ」息子は空を見上げた。

「どんな風にお腹から出てきたかは、お母さんしか知らないけど、とにかく嬉しかった。なんていったって、お父さんの一番好きな人が、お前を抱きながら一番嬉しい顔をしたんだから。お前にも将来、そんな時がくるよ。その時、今の台詞を奥さんに言ってあげな。喜ぶよ。お母さんがそうだったから」

「わかった、覚えておくよ」

「お前と奥さんのそんな顔見たかったな」僕は、少し先を歩く息子に向かって呟いた。

川に向かって、ヤッホーの代わりにいろんなことを叫んだ。

「陽一郎と一緒に酒飲みたかったーっ」

「一緒に旅行したかったーっ」

「人生の岐路に立った時に相談に乗りたかったーっ」

「お前もなんか叫べよ」

息子は力一杯、大きな声で言った。

「僕は、お父さんの番組をもっと観たかったーっ」

僕はこの先、父親として伝えたかったことを手紙にしたため渡した。

○尊敬する人の話に耳を澄ませなさい。頑張った人にしか見えない景色があって、先輩はその景色のことを話してくれている。
○自分で稼ぐようになったら、気に入った万年筆を買いなさい。それで何度も字を書いて自分らしい字を見つけなさい。
○迷ったら考え込まず、目の前のことを必死にやりなさい。
○煮詰まったら、家に閉じこもらず外に出なさい。
○飲み会はできるだけ最後までいなさい。
○人のいないところで陰口を言うのはやめなさい。
○もし言うなら本人がいる前で、笑えるように変換して言いなさい。
○ユーモアと素直さを持ちなさい。

少し離れたところで息子は黙って読んでいた。

「あと困ったことがあれば、お父さんなんかよりお母さんが教えてくれるから」

息子はこくりと頷いた。

「お父さん……」

「何？」

「一個、聞いていい？」

「いいよ」

「お父さんは、病気怖くないの？」

「怖くないよ」

「そうなの？」息子はびっくりしていた。

「逆に、病気で良かったと思えるんだ」

「はっ？　なんで」

「病気がお母さんじゃなくって本当に良かった。もし、お母さんが先に死んじゃったら、お父さんはそっちの方が悲しくてたまらないよ。お通夜で何もしないで、ずっと、だらっとしてる。誰よりも落ち込む自信はあるな」

「…………」息子は黙って下を向いていた。

「あのさ」

「何？」

「もうすぐ、お父さんは入院することになる。そうしたら、この手紙を出してくれないか」

僕は少し分厚い封筒を息子に渡した。両親に書いた手紙だ。僕が生まれてから今まで、父親、母親のお陰で頑張ってこられたことへの感謝。病気のこと。ここまで何故、告げなかったかは、放送作家の仕事を貫きたかったから、と綴った。入院したら、思いっきり叱られよう、そう覚悟した。

「お母さんのこと頼むな」

「子供でも守れる？」

「大切な人を守るのに大きさは関係ない。お父さんが留守にしている間、留守番していると思えばいいよ」

「お留守番？　じゃあ帰ってくるの？」

「天国でいろんな作戦、考えてみる」

「わかった。ちゃんと留守番するよ」

「頼んだぞ」

かけがえのない時間がゆっくり終わろうとしていた。

「握手しようか」

「うん」

僕と息子はぬくもりとぬくもりで、固く誓い合った。

決めた。死ぬまで息子に父親らしいとこをみせてやる。幸せいっぱいに笑顔で死んでいく。

お前がこの世に生まれてきた日みたいに。

3月17日　余命あと8日

僕は妻の39回目の誕生日まで生きていられた。

僕と妻と息子と伊東の家族4人で誕生会を開いた。場所は「ジョバノッティ」にした。

前の日に息子と伊東と3人で選んだプレゼントをお店に預け、僕は妻と待ち合わせしている表参道に向かった。交差点に妻の姿が見えた。佇《たたず》む妻はドキッとするほど美しく見えた。まあ、大概、こういうのは脳の錯覚で、近づくにつれ「あれ、そうでもないか」と現実に戻される。

「お待たせ」

「少し待ちましたけど」僕が近づいていくと、妻はシャッターを切った。

「お前は、週刊誌の記者か」その言葉に妻は乗ってきた。

「三村さん、今のお気持ちは？」

「そうですね、病気以外はいたって健康です」

「明るいね〜っ、余命幾ばくもないのに」妻はそう言いながら笑顔を見せた。カメラで気づかなかったが妻は化粧をしていた。近くで見ても妻は奇麗だった。

「どう、寒くはない？」

「うん、大丈夫」

「修治は何を聞いても、答えは大丈夫だね」

「だって、ほら」僕はズボンの裾をめくり、ヒートテックを見せた。妻が用意してくれたものだ。

お互い、あーいえばこーゆー無駄話をしながら長い並木道を歩いた。忙しい頃は気づかなかったが「この人と話があう」と思った。こんなタイミングでだ。こんなタイミングといえば、あるプロ野球選手は引退試合の最後の打席でバッティングの極意がわかったという。人生、こんなものなのかもしれない。

青山通りが見えて来た。地下鉄の駅前で伊東と息子が笑顔で待っていた。

ジョバノッテイに入ると妻は声をあげた。店内は手作りの飾り付けで溢れていた。息子は自慢げに言った。「僕と伊東さんで飾ったんだよ」いわゆる、どや顔ってやつだ。

「お誕生会みたい……」

「だから、誕生会だって」すかさずツッコミを入れる。

「小学校のお誕生会みたいって意味なの」店内は笑いに包まれた。

乾杯はお店がプレゼントしてくれたワインでおこなった。店長が僕と息子のために赤い色をしたハーブティーをワイングラスに用意してくれた。

「お母さん、29歳のお誕生日、おめでとう。乾杯」息子が冗談を言った。みんなグラスを当てるタイミングを失った。

「29歳？　10年は、どこかに置いてきてくれたのね。ありがとう」

「お母さんの10年をお父さんにあげようと思って」

一瞬、シーンとなった。

「それはいいアイデアだ。改めて29歳の誕生日と三村さんの10年に乾杯」

乾杯……。グラスの音がちぐはぐに鳴った。

すると、どこからかギターのジャジャジャーンという音が聞こえた。音色の方に目をやると、ミュージシャンの森田義和が立っていた。森田は、看板から足を滑らせ落ちてきた男だ。森田の瞳には涙が光っていた。

「ハッピーバースデー。僕は森田と言います。三村さんの知り合いのミュージシャンです。今日は彩子さんに心を込めて歌を贈ります」

森田は彼女のために作った歌を妻のために歌ってくれた。それは、世界中のどんなカップルよりも2人はお似合い、という歌詞のラブソングだった。とてもいい歌だった。妻は目を閉じながら聴いていた。

美味しい料理と楽しい会話に包まれた誕生会が始まった。

森田は一度ふられた彼女に何度もアタックを続け、やり直すことになったという。

伊東が店員に合図を送るとバースデーケーキと誕生日プレゼントが運ばれて来た。

「何、何」妻は少し酔っていて頬を赤らめながら箱を開けた。

僕たちはシルバーでできた写真立てを贈った。

「素敵。みんな本当にありがとう。今日は人生で忘れられない日になりました」

楽しい時間はあっという間に過ぎ、お開きになった。今夜は妻と息子が先に帰り、僕と伊東がもう少し飲んで行くことにした。

僕たちは暖炉の前に椅子を移し、お茶とワインで乾杯をした。

「伊東さん。僕の身勝手なお願いに巻き込んじゃって、すみません。そして本当にありがとうございます」

「こちらこそ、巻き込んでくれてありがとうございます。結婚がこんなに素敵なものだって三村さんに教えていただき、本当に感謝しています」

僕たちは暫く暖炉の火を見ていた。伊東は静かに言った。

「三村さんは、なんでそんなに強いんですか」

「ちっとも僕は強くないですよ。死ぬのだって怖いし、いつも震えてる」

「…………」

「そんな怖さを消してくれるのが、やっぱり……何かを作っている時なんです。ある戦場カメラマンに聞いた話なんですが、戦場で、目の前で起きている出来事を撮っている時はちっとも怖くないんですって。でも、フイルムを換えようと、ファインダーから目を外すともう震えが止まらない……。僕も、妻の結婚相手を探している時はちっとも死ぬのが怖くなくなるんです」

「やっぱり、三村さんは強いですよ。でも、好きだなそういうの……」そう言うと伊東はワインを飲み干した。

僕も、やっぱり妻の夫になるのはこの人しかいないと思った。間に合ってよかった。

これで勇気を持って死んでいける。

「伊東さん、心を込めて言います。本当に妻をよろしくお願いします。そして、僕の妻と結婚してください」

伊東は優しい目で僕を見て、力強く頷いてくれた。

「彩子について話していいですか。取扱説明書だと思って気軽に聞いてください」

「はい、是非、聞かせてください。心して聞きます」

テーブルのロウソクの優しい火がゆらゆらと揺れていた。

「彩子は朝が弱いです。低血圧のせいにしていますが寝起きは機嫌悪いです。しっかり家事もやりますが、実は、洗濯が嫌いです。気合いを入れないとできないみたいです。アイロンはこちらが下手にでないとやってくれません。料理は美味しいです。最近はルクエなんかに頼ったりもしますが、レパートリーは持っています。ロールキャベツは絶品です。今、息子の受験に必死ですが息子以上にテンパるかもしれません。意外とプレッシャーに弱いんです。そんな時に話しかけると睨んだりもします。でも……」

「でも？」

「彩子は素晴らしい女性です」

それから僕は心を込めて妻のいいところを話し始めた。

「人の悪口は絶対に言いません。花に水をあげるのが好きです。自分はさておき人のことを心配する人間です。相づちがすごく素直です。心の荷物にそっと手を添えてくれる人です。そして、何よりも人の夢をバカにしたりしない人です」

こんなに素直に言葉が出てくるとは思っていなかった。そして、わかった。こんなにも妻のことが好きだったってことを……。

「しかと心に刻みました。こんなに愛のこもった取扱説明書は後にも先にもこれだけだと思います。ありがとうございます」

伊東は答えた。僕は伊東の顔をしっかりと見つめた。

3月18日　余命あと7日

翌日から僕は入院した。川が見える静かな病室だった。

毎日、目を覚ます度に体力を夢の中に置き忘れている感じがする。鎮痛剤のせいで現実と夢の境目がわからなくなることもある。だいぶ感じがでてきたかな……。

大好きなテレビを観るのも辛くなっていた。しかし、なんとか生きていられるのは妻と伊東の結婚が決まるまであと少しのところに来ているからだ。これが生きる最後のモチベーションだった。

どれくらい寝ていたのだろうか、目を覚ますと妻が座っていた。僕が起きるのを今か今かと待っていたようで何か言いたげな顔をしていた。せっかちな者同士、顔を見るとその辺はよくわかった。

「何か話があるんだろ？」

「うーん、話って程じゃないけど……」

「言ってみろよ」

「じゃあ、言うね」

そういうと妻はバッグから紙を取り出した。

「あのね、ここに1枚の紙があります。ジャジャーン、婚姻届！」

「ドラえもんか！　えっ、ということは遂に決心してくれたの？」

妻は大きな深呼吸をするとこう言った。

「修治のお望み通り結婚します。はい、決心が付きました」

妻は自分に言い聞かせるように話している。

「でね、ここからが大事な話」

「大事な話？」

「えーと、日本の法律によりますと……ちょっと待ってね」妻はノートを開き読み上げた。

「民法733条によりますと、女性は離婚してから6ヵ月は再婚することができません。だから、どんだけ早くても私と伊東さんの婚姻が認められるのは修治と離婚してから半年先になるの」

「でも、それは形式上であってさ、2人が夫婦になればそれでいいじゃない」

「ほんと、女心、わかってないね。法的には認められていないってことは、どちらかが気が変われば全く意味がなくなるの。修治が死んで……、ごめん……、修治が

「……」

「いいよ、死んだらで……。続けて」

「今、私たちが離婚すれば半年後には私は結婚することができるの。だから……」

「だから」

「もう半年、絶対に頑張って生きてよね。伊東さんが私から逃げないようにしっかり見張っていてよ」

妻は泣いているのか……、僕は涙で前がよく見えなかった……。

「もう半年か、それは長いな……」

「何言ってるのよ、たった半年じゃない。ほら、いつもの台詞は?」

「………」

「大丈夫って言いなさいよ。お願いだから言ってよ」

「大丈夫。生きます」僕は答えた。

「声が小さいよ。聞こえないよ」

「………」

「絶対、約束守ってよ。絶対だからね」

そういうと妻は、涙で声を詰まらせながら言った。

「ジャジャーン、離婚届」

「ドラえもんか……」

僕はゆっくり起き上がり、妻から離婚届を受け取りサインした。

「新番組を始める前には長年、続けたレギュラー番組を終わらせないとね。そんな当たり前のこと気づかなかったよ」

「あまりにもいい番組だったから殿堂入りになったんだよ。本当に面白い番組だったってことじゃない。色んなことがあったね」

「本当に色々あったな」

「修治は、どんなことを覚えてる？」

「あれかな。たまたまチケットを貰って、2人でクラシックの演奏会に行った時にさ……」

「行った、行った。あのドイツの有名なオーケストラね」

「ドイツから、わざわざ来日したのに、トライアングル担当の人の出番だけ、なかなかこなくって、長い演奏の最後に1回だけチーンって鳴らしただけ。会場がシーンとしている時に、彩子の『みじかっ！』って一言が会場に響き渡った。あれは恥ずかしかったな。トライアングル担当もピクってしてたし」

「いやだ、そんなことしか覚えてないの」

今、思い出しても笑いがこみ上げてきた。

「なんだか、くだらないことしか思い出せないな。彩子は？」

「私は新婚の頃、ホームセンターに家具を買いに行ったことかな。お金がなかったからできるだけ安いの探して、送料がもったいないから、台車を借りて、夜逃げするみたいに二人で押して帰ったよね。でも楽しかった。本当に」

「よく、そんな昔のこと覚えてたな」

「懐かしいもの見せようか？　私ね、修治が書いたノートの切れ端、今でも持ってるんだ」

「……ノート？」

「15年くらい、財布に入れてたんだよ」

妻はヨレヨレのノートの切れ端を取り出し読み上げた。

「似ているものシリーズって書き出しでね、〝原価と原西〟〝金城武と金婚式〟〝はにかむとはなかむ〟〝ユネスコとヨネスケ〟〝ブッ飛ばすとジェットバス〟〝脇目も振らずと脇毛も剃らず〟〝ヒロインとヘロイン〟って書いてあって、放送作家って変な仕事だなって思った」

「新人の頃の宿題だ、あの頃が懐かしいな……」

「面白い番組いっぱい作ってきたよね。疲れた？」

「うん。でも寿命が少し延びた気がする」

「何いってるの。最低あと半年は生き延びてもらいますからね」

こんな状況になっても、見渡すと色んなところに笑いが満ちあふれている。

「Laugh actually だ……」

「何それ。Love actually じゃなくて？」

3月21日　余命あと4日

目を覚ますと病室の外で話す声が聞こえた。妻の声だ。僕の仕事部屋の話で誰かと盛り上がっている。笑い声と共にドアが開き、妻と担当医と看護師さんたちが入ってきた。

妻は僕に向かって言った。

「みなさんが修治の仕事部屋を見てみたいんだって」

担当医が言った。

「1日だけ退院して、私たちを仕事部屋に招待してくれませんか」

「えっ、どういうことですか？」

担当医は僕の驚いた顔を見てにこりと笑った。初めて見た、この人の笑顔。

3月23日　余命あと2日

ある晴れた日、僕は1日だけ帰宅が認められた。

伊東が病院まで迎えに来てくれた。車椅子に乗って僕は家に帰った。

たった数日だけど、長い間、家を空けていた気がする。

「ただいま」

「おかえり！」

妻と息子が元気な〝おかえり〟で出迎えてくれた。

「さあ、みなさんもおあがりください」

担当医と看護師さん2人、そして伊東が我が家にやってきた。

「今日はチームミムスタが一緒なんで安心だ」

僕の粋なジョークに伊東がポカンとした顔をしていた。

「チームバチスタを、三村だからミムスタって言いたかったんです。わかりにくいって！」

「あー、なるほど」

「解説するなよ、恥ずかしい」

ベテランの看護師さんは、この光景を見て声を押し殺して笑っていた。

車椅子に乗せられて廊下を行くと、妻はドアの前で止まった。

「どした？」

妻が扉に向かって声をかけた。するとゆっくりとドアが開いた。

僕は息をのんだ。

部屋中に大きく引き伸ばした写真がいくつも並んでいた。

人の形に切り抜いてあるので、まるで、僕は仲間に囲まれた気分になった。

どの写真もみんな笑っていた。妻は自慢げに言った。

「どう、いいでしょ。番組の美術さんが、パネルにしてくれたんだよ」

「役得だね」息子が言った。

「陽一郎君、それを言うなら人徳。その方がお父さん喜ぶよ」

僕は一つ一つの写真を、時間をかけて見て回った。

まるで自分の人生をプレビューしているようだ。

妻と付き合っていた頃のものもあれば、家族で過ごした写真、業田や藤江や山田を始めとした番組のスタッフの写真もあった。荒城さんのディレクター時代もある。江口が漫才をしているのもあった。

あっという間の人生だと思ったけど、こうして見てみると色んなことがあったな。

番組の総集編を観ているように記憶が甦《よみがえ》ってきた。

そして、妻はみんなを僕の仕事部屋に案内した。

「そんな大した部屋じゃないですけど、心ゆくまでご覧ください」

「お前が言うなよ」そんな僕の声を無視して、ぞろぞろ部屋へと入っていった。

6畳ほどの広さで、真ん中に、長年使っている木製の机、イームズの赤い椅子がある。伊東はラックのDVDを、担当医は本棚の本を見ていた。

「なんか、いいアイデア出てきそう」若い方の看護師さんが椅子に座り、机のパソコンを打つ真似をしながら言った。

「奥さんによると、椅子をくるくる回しながら考えていたそうよ」ベテランの方の看護師さんが言った。

「こんな感じですかね」

「それは早過ぎでしょ」２人はそんな会話をしながら笑っていた。

「先生、家に帰る上手い口実を作ってくれて、ありがとうございます」

「いいえ、私たちは本当に見たかったんですよ。ここで台本を書いたり、面白い事を考えていたんですね」

「アダルトビデオなんかも観てたんですよ」

ベテランの方の看護師さんは笑っていなかった。僕の声が小さすぎたのか、下ネタが苦手なのか……。

その後、久しぶりに我が家の夕食を食べ、束の間の帰宅を満喫した。

一人、仕事部屋の椅子に座っていると伊東がやってきた。手には毛布を持っていた。

「お疲れじゃないですか？」

「大丈夫です。家にいると元気が出てきました」

伊東は毛布をかけながら言った。

「三村さんは、何かやり残したことはないんですか？　もし、私にできることがあれば何でも言ってください」

「……実は一個だけあるんですよ」

「何ですか？」

「それをやるのが夢なんです」

「言ってください。私がなんとかします」

「息子が結婚する時、お嫁さんのお父さんと披露宴で一緒に余興をするのが夢だったんですよ。息子たちには内緒でこっそり練習して」

「少し先の夢ですね」

「そうなんです。間に合いそうになくって」

「何を披露するかも決まっているんですか？」

「はい。2人でギターを弾いてサザンの曲を歌うんです。結構、酔っぱらって」

「素晴らしいですね。聞いただけなのに感動してます」

「いいでしょ。そうだ、伊東さん、僕の夢、代わりに実現してください」

「僕が……」

「なんとかするって、言ってくれたから」

「わかりました。必ずやり遂げてみせます」

「よかった。これでもう何もやり残したことがなくなった」

3月25日

桜の季節より少し早い3月25日、家族に看取られ、僕は逝った。

病室から見た空は、青空と雲のバランスが絶妙だった気がする。

最期の言葉は「間に合わなかった、ゴメン……」だった。

本当は彩子のウエディングドレス姿を見られるのを楽しみにしてたんだ。

間に合っていたら、バージンロードは僕と歩いたのかな。

旅立つ直前、彩子がよくピアノを弾きながら歌ってくれた、あの曲の詞を思い出していた。

「You've Got a Friend」

君が落ち込んだり　困ったりしたとき
誰かが恋しくなったりしたり　何もかもが違う方向へいっちゃいそうなときは

目を閉じて僕のことを思い出してみて
僕はすぐ傍にいくよ　どんな暗闇だって僕が明るく照らしてあげるから
僕の名前を呼ぶだけでいいんだよ
そしたら僕はどこにいたって　君のトコに駆けつけるから
あの歌詞みたいにはいかなかったけど、それにしても随分、楽しい人生だった。
でも、できればもう少し、彩子と陽一郎の手を握っていたかったな。
もう一本くらい番組を作りたかったな。

エピローグ

三村修治が亡くなってから1週間が経った。

もうすぐ、春が冬を追い抜こうとしている。テレビ界は春の特番真っ盛りだった。

この日、イタリアンレストラン「ジョバノッティ」の入り口には薄いピンク色の花が飾ってある。そして、ドアノブには本日貸し切りのプレートがぶら下がっていた。

風が通り抜ける度、春の匂いがした。お昼になると、ぱらぱらと人が集まってきた。

店の中から、笑い声が聞こえた。中に入ってみると、いたるところに笑顔があった。

廊下を行くと、彩子、伊東、陽一郎の姿があった。集まった人たちに挨拶をしていた。奥の方には、立ち話の輪ができている。荒城、業田、藤江、江口が楽しそうに話をしていた。知多は優しい手つきで山田のお腹を触っていた。どうやら、山田は身籠《みごも》ったようだ。

ここには、楽しい空気が満ち溢れていた。そして、奥の暖炉の上には、その光景を見守っている修治の写真があった。３人の親子がカメラを睨んでいる写真も並んでいた。

「なんだか、まだどこかでバラエティ番組を作っている気がするわね」山田が写真を見ながらしみじみと言った。

「このおどけた顔ででしょ」知多の一言で笑いが起きた。

「いつもひょうひょうとした喋り方で企画を話し出すんだよな」業田は修治との会議の思い出を話し出した。

「何なんでしょうね、あの真面目なようで不真面目な感じ」江口が言った。

「いや、不真面目なようで真面目なんじゃないか？」藤江がこたえた。

「どっちかな。荒城さんはどう思う？」

「どっちも三村だ。テレビが持っている真面目と不真面目を両方、あの男は持っていた」

「これって三村さんのネタ帳じゃないですか」江口が、『三村修治の想い出の品』と書かれたテーブルから、モレスキンの黒いノートを手に取り言った。

「そうなの。この前、お宅に、編集者と名乗る男性が来て、三村さんから貰ったんだけど、読んでいる内に、これは本人に返さなきゃと思って、わざわざ届けてくれたんですって」知多が言った。

「へえー、これがそうか。いつか見てみたいと思ってたんだよね」江口がネタ帳を眺めると、人が集まってきた。

「三村の字だ。この独特の字、なんだか、三村って感じがするよな。今は台本もパソコンで書くのが当たり前だから、字なんて、見ることとなくなったけど、昔は自分らしい字ができ上がって、初めて一人前の放送作家だったもんな」

「私、三村さんの字、好きだったな」業田と山田は、しみじみ言った。

「あっ、懐かしい、このメモ。私の番組でやった企画だ」山田がネタ帳を見て言った。

「覚えてるよ、この企画。面白かったけど、数字はいまいちだった」と業田が笑った。ネタ帳には、氷で作った虫眼鏡で火をおこせるか、と書いてあった。

「なんだこれ？」荒城がめくったページには、デブ相撲、過去日記、ウォーターガールズと書いてある。

「これって、単に、相撲、日記、女子シンクロのことじゃないの」山田が言った。

「くだらねーっ」江口が笑った。

「そういえば、会議でこんな話ばっかりしてたな」藤江がそう言うと、それぞれが修治との思い出話を始めた。修治が聞いていたらきっと、赤面していそうな話題ばかりだった。

彩子と伊東は、仕事仲間たちのそんな光景を眺め、顔を見合わせて微笑んだ。

そして、彩子は目を閉じて深呼吸をすると、暖炉の方に歩き出し、修治の写真の前に立った。店内は静まり返り、誰もが目を向けた。

「さてと、会議を始めましょうか。これだけの仕事仲間の方が集まると、三村のそんな声が聞こえてきそうです。

今日は生前、本当にお世話になった方々にお集まりいただいて、故人も喜んでいることと思います。なんだか、今も三村が亡くなった実感が湧いてきません。ダメですね、何を見ても思い出してしまいます。でも、いつまでもこんなんじゃ三村に叱られますよね。あの人はいつも過去を振り返らず……振り返る間もないくらい忙しかったのかも知れませんが、いつも前を向いて番組を作り続けていました。

今日、観てくれる視聴者のために僕は番組を作るんだというのが三村の口癖でした。

つい最近、私は三村が仕事で使っていたネタ帳を初めて見ました。意味のわからない走り書きもありましたが、驚きました。どのページをめくっても、書いてあったのは、楽しいことばかりでした。

だから、私もそんなあの人を見習って今日から新しい道を歩き始めます。きちんと前を向いて。そんな姿を三村に見せたくて、今日はみなさんに無理を言って集まっていただきました。本当にありがとうございます」

伊東が彩子の肩にそっと手をかけて話しだした。

「本日は皆様、ご多忙のところ故・三村修治さんのためにお集まり頂き誠にありがとうございます。三村さんは生前、放送作家という仕事をされ、ご自分が余命6ヵ月を宣告されたにもかかわらず、妻の結婚相手を探すという突拍子もない企画を考え、そして命を削り実行致しました。

私はその企画が実現に至るまで近くで見ておりました。一つの企画をいかに輝かせるか、にじり寄る姿勢に感服しました。凄いです。あの人は……。そして、テレビ、楽しいこと、妻、家族を本当に愛していました。

私は一人の人間として人生に大きな影響を受けましたが、この先、三村さんの遺志を受け継ぎ、しっかり家族を作ってゆきたいと思います。

それでは、本日は故人を偲《しの》んで皆様に一言ずつ頂きたいと思います」

荒城が話した。

「三村、元気か？ 俺はテレビマンとして一つ後悔していることがあるんだ。カメラを回しておけば良かったよ。お前の最高にかっこいい残りの人生を！ ありがとう」

業田が話した。

「三村先生、今日も笑ってますか？ 例の三幸師匠の企画通りましたよ。最初のデリバリー先は、あなたが言った妊婦さんの出産のお手伝いです。絶対、面白くなりますよ。ありがとう」

山田が話した。

「三村さん、企画書ありがとう。こんなに大変だったのに忘れていなかったんだね。あなたには本当に頭が下がります。絶対に企画通して番組にしますからね。それとね、私、四十路にして妊娠しました。胎教にいいって聞いたので三村さんの作った番組を観せようと思っています。ありがとう」

知多が話した。

「三村さん、報告があります。最近、私、お付き合いしている方がいます。成長したでしょ！ 依頼されたリサーチはできるけど自分の相手はリサーチできないって。本当に憎らしいことを楽しく言う人でしたね。でも、不思議と誰も傷つかない。今の彼はそんなあなたを心から尊敬している人です。ありがとう」

　そして伊東が話した。

「三村さん、私はあなたに出会えて本当に良かった。人生を大きく変えてくれた恩人です。私はあなたほどユーモアもないし、あなたほど優しくも逞しくもないです。でも、これからの人生、三村さんに追いつくよう生きます。ありがとう」

　伊東が深々と写真に頭を下げた時、部屋中が大きな大きな笑いに包まれた。

　伊東も頭を下げながら笑顔を見せている。

　笑い声がゆっくりひいて余韻になり少しだけ沈黙が流れた時、彩子が口を開いた。

　彩子は涙ぐみながら必死で笑顔を見せた。

　そして修治の写真に向かって話を始めた。

「修治、なんで今日みなさんが来てくださったかわかる？　わからないよね。あのね、今日はね、修治にあることをしようとみなさん集まってくれたの。

　修治は私に内緒で伊東さんと結婚させようと、命を削ってドッキリを仕掛けていたんだよね。

　全然わからなかったよ、修治がもうすぐ死んじゃうってことも、結婚相手を必死に探してくれていたことも。

最初は腹が立って仕方がなかった。なんで妻の私に内緒で余命を生きるのか。でもね、わかったんだ、私が腹を立てれば立てるほど、悲しみが減るってことを計算してたんでしょ。さすがだね、一流のバラエティ放送作家だね。

だからね、私も考えたんだ。放送作家の奥さんとして一生懸命考えたんだ。

伊東さん、本当にありがとうございます。今日まで私の結婚相手を何一つ文句も言わず演じてくださって心から感謝しています。

知多さん、山田さん、色々、アドバイスしていただいてありがとうございます。

そして荒城さん、業田さん、藤江さん、江口さん、私の知らない修治のことをたくさん教えていただき、ありがとうございました。

そして、修治、今まで本当に本当にありがとう。

私はあなたとの想い出だけでこれからずっと生きて行けます。

陽一郎をしっかり育てるからね」

ここで修治が、彩子に余命のことを告げた頃に時間を戻すことにする。

彩子は困り果てていた。一刻も早く入院させるのが妻の務めなのに、何を言っても修治は「お見合いをしてほしい」の一点張りだった。覚悟もできなければ、悲しみに暮れる間もなかった。どこに行っても行き止まりの迷路に閉じ込められたようだった。

そこで、すがる思いで知多を訪ねることにした。お見合いなどなかったことにして、入院するよう言い聞かせてと頼むのだ。

原山典子を再婚させた結婚相談所の女社長だと修治が言っていたので、連絡先はすぐにわかった。

会いに行くと彩子はたじろいだ。知多の他に、山田、荒城、業田、藤江、江口がいたからだ。知多の計らいで彩子のために集まったという。しかも、全員が修治の病気のことを知っていた。ある時、知多は一人で秘密を抱えきれなくなり話したのだという。

自分だけが知らなかったのかと思うと彩子は腹が立った。絶対に説得されても応じまいと身構えた。しかし、誰一人、彩子を説得しようとしたり、諭したりしなかった。話してくれたのは、これまでの修治の仕事ぶりだった。企画を楽しそうに話す様子、一歩でも面白くしようとする姿を話してくれた。

知多が言った。

「結婚相手を探してる三村さんの姿は、いい番組を作ろうとするひたむきさと重なったの。いや、それ以上だったわ。とても生き生きしていた。だから、彩子さんには本当に申し訳ないけど、私には止められなかった……。三村さんには内緒でみなさんに相談しちゃったけど」

荒城が言った。「多分、放送作家として本気で企画を考えることで、人生を生き抜こうと覚悟したんじゃないかな……」

「なんで、死が迫っているのに顔にも出さず、楽しそうにしていられるんだろう。怖くなかったのかな？」誰かがそう言った時、彩子の口から言葉がこぼれだした。

「きっと、気づくタイミングが早いんです。辛いことは、解決策が見つかるまで絶対に口にしないから、悩んでいるように見えないんです。誰よりも気が小さいのに」

その一言にみんなが頷いた。

彩子は気づいた。修治は、近づいてくる死に対して、叫び狂うほど弱音を吐きたいのに、妻の結婚相手を探すことで必死に「楽しい」に変換しようとしていたのだ、と。

彩子は決めた。夫が放送作家として人生のエンディングを迎えようとしているのなら、自分は放送作家の妻として、立派に夫を見送ろうと。

この日から今日まで、彩子は、あることを演じた。

そして今、彩子は涙で乱れた呼吸を懸命に整え、最後の大役を果たそうとしていた。それは愛する夫に捧げるネタばらしである。

「本当に幸せだったよ、出会った時から、今も、この先も、ずっと大好きだよ、修治」

この日も青空と雲のバランスが最高にいい日だった。そして、彩子は頬をつたう涙を何度も何度も拭いて、とびきりの笑顔で修治の写真に向かって言った。

「ドッキリ大成功」

解説

内村光良《うちむらてるよし》

本解説には、作品の結末に触れている部分があります。

２０１４年2月27日、銀河劇場で行われた舞台「ボクの妻と結婚してください。」の初日公演が終わって、私は樋口さんたちと酒を酌《く》み交《か》わしていた。マネージャーの富田が「やっとここまで辿り着きましたね」と言って、皆しみじみとうなずいた。その言葉は焼酎と一緒に胃に染み渡った。

２０１2年の春に、事務所に妙なタイトルの小説のゲラ稿が送られてきた。「ボクの妻」と「結婚してください」……この言葉の組み合わせに興味を持った。私同様、このタイトルに興味を持ち手に取られた読者の方も多いかもしれない。「永遠の一瞬」「公然の秘密」「小さな巨人」よりも衝撃な言葉だった。

樋口さんとは同じ歳で、長年同じテレビの仕事をしているのに、これまで一度も面識がなかった。

ゲラ稿には手紙が同封されていた。

その中で、樋口さんは私の「東京オリンピック生まれの男」という一人舞台を観て、本作の主人公・三村修治《みむらしゅうじ》をイメージしたと綴《つづ》られていた。ありがたいことだ。

こうしてこの作品と私は出会った。

この小説は私小説であり、死小説、仕事小説、家族小説である。

さまざまな顔を持つ作品の中で一貫しているのは、前向きであるということだ。楽しいことをより楽しく、辛《つら》いことこそ楽しく、難しいことを面白く、当たり前のことを丁寧に——さりげないことに愛が溢《あふ》れていた。

ユーモアは人生に欠かせない潤滑油のようなものだ。人は困難が前に立ちふさがると、ユーモアを忘れてしまう。また目の前の相手が悲しみに暮れていても、励ましたり慰めたりすることを優先し、ユーモアを忘れてしまう。しかし、修治と彩子《あやこ》の夫婦には、しっかりとユーモアがあった。私はそこに魅《ひ》かれ、この作品の一員になりたいと思った。

その年の11月22日、いい夫婦の日に『ボクの妻と結婚してください。』が出版され、そこから約1年と4ヵ月後に舞台の幕が上がった。

小説にはバラエティ番組の裏側のやりとりが書かれている。

私自身も、番組の会議に参加していた時期がある。会議はいつも何時間にも及ぶ。コントの内容を考えながら、途中、近所の中華屋さんで出前を取ったりもしていた(余談だが、私はもっぱら野菜炒め定食を注文した)。

通常、番組会議にはプロデューサー、総合演出、ディレクター、アシスタントディレクター、放送作家らが出席する。

この放送作家とはどんな仕事なのか。私が思う放送作家には二つのタイプがある。とにかく会議で喋《しゃべ》りまくるタイプ。最近面白かったことや、コントのネタを身振り手振りを交えて喋り続け、会議を引っ張っていく。多少胡散臭《うさんくさ》い面もあるが、その喋りを聞いているうちに「面白そう」と暗示にかけられてしまうのだ。

もう一つは書き屋タイプだ。会議で口数は少ない。その代わり書くものが面白い。自分が思っていることをネタやコントの台本にぶつける。その台本を見ると、スタッフや出演者が本気になる。

バラエティ番組を作るには、この両タイプの放送作家が必要だ。

本作の主人公の三村修治は、その両方を併せ持った稀《まれ》な放送作家なのだと思う。修治は放送作家の仕事を『世の中の出来事を好奇心で「楽しい」に変換する仕事』と表現している。楽しいことは勿論のこと、辛いことまで楽しくしようという、根っからのバラエティ番組の放送作家なのだ。

それ故に、修治のもとにはたくさんの人が集まったのだろう。

修治同様、私には家族がいる。

夫、父親目線で考えた。余命を告げられたら私はどうするだろう。

きっと延命治療をする。

とてもじゃないが修治にはなれない。真似はできない。

しかし修治は最後の一秒まで、彩子のために奔走する。それは愛する家族に楽しい未来を残すためだ。

仮に自分が妻の結婚相手を探すとしたら、きっと自分と似ている人を探したと思う。しかし修治は伊東正藏のような、自分とは正反対の、それでいて実直な男に家族を託した。

修治ほど毎日を大切にしている人はいない。毎日を必死に生きている。本当に強い人間だと思う。

そんな生き方をした人には理想の死に方が待っている。小説にはさらりとしか書かれていないが、多分、修治は眠るように旅立ったのだろう。

この小説の中に、いくつも好きなシーンがある。

妻はおしぼりを笑顔で受け取りながら「ここのお店、一度来てみたかったんです。嬉しい」と少し若めの声で言った。そして、次の言葉に耳を疑った。

「大将、私、冷酒いただこうかしら」

大将って。いきなり常連気取りだ。信じられない、この性格。

家族で寿司屋に行くのは一家の大黒柱になった瞬間だ。

少し懐を気にしながら、家族の美味《おい》しい顔を見て一杯やる。それは理想の形でしょう。

ちなみに舞台では東京03の飯塚君が寿司屋の大将を演じたが、私もあの役をやりたかった。コメディ要素がたくさん詰まった、実にやり甲斐《がい》のある役だ。

「安くて美味しい中華に行ったとしましょう。1人だとラーメンを注文。付け加えたとしても餃子《ギョーザ》かチャーハン、追加は1品が限界です。でも、結婚すると2倍注文ができる。（中略）そして、さらに、家族が増えると……」

「増えると？」2人声を揃えて言い、つばを飲み込んだ。僕は真顔で続けた。

「家族が増えると、前菜の他に、春巻きやシュウマイにも手を伸ばせる。それから、チンジャオロースーにエビチリ。野菜が食べたければ、チンゲンサイ炒めも注文できる。デザートは、メニューを見ながら決をとる。（中略）品数が増えるだけじゃないんです。みんなで食べると人数分、味も美味しくなるんです。テレビで大家族が食卓を囲むシーン。みんな美味しそうに食べているでしょ。家族で食べる飯は、世界中のどんな料理より美味しいんです」

この修治の提案をいつか実行してみたい。

「彩子、今から言うことをしっかり聞いてほしい」

ドア一枚隔てて僕は話し始めた。

「僕は彩子を幸せにするために結婚しました」

「もうすぐ、それができなくなる。つまり……」

「実は、すい臓ガンです。病院で残りの命を告げられました」

「僕の余命は……、あと1ヵ月です」

ここは何度読んでも身につまされる。舞台では彩子役の木村多江さんのドアを隔てすすり泣く声が聞こえてくる度、この夫婦の絆の強さを感じた。毎回、感じた。そして修治の気持ちが痛い程わかった気がする。


僕は息子を誘い出し、昔2人で、よく行った川べりに出掛けた。

この日は太陽がやけに眩しかった。3月だというのに初夏のような陽気だ。

息子は妻にカメラの使い方を教わり、何かと僕の写真を撮っていた。戯《おど》けたポーズをとる度、笑っていた。

「いい感じに撮れてるよ。遺影にでも、する?」息子の冗談を初めて聞いた。

舞台で修治を演じていると、この陽一郎《よういちろう》とのシーンは涙をこらえるのに必死だった。

しかし「遺影にでも、する？」の台詞《せりふ》で観客の大爆笑が起きた。その時はお笑い芸人として少し悔しくもあった。

修治は仕事が忙しく、陽一郎と一緒に過ごした思い出はあまりないようだった。しかし、この親子は固い絆《きずな》で結ばれている。陽一郎は将来、父親の作った番組を見る度に父親を思い出し、父親のとった行動や生き方について考え、いい夫、いい父親になるんだろうと思った。


「テレビはみんなで見るのが一番楽しいのだ」


これは樋口さんの一番好きな台詞だという。

同じものを見て笑うということは共有しあうということだ。そこに言葉はいらない。かつてあったお茶の間は今だんだん失われ、スマホの画面で一人テレビを楽しめる時代だが、それは本来のテレビの見方ではないと樋口さんは言う。

街頭テレビで熱狂する——。そんなところからテレビ文化は始まった。

ご近所さんのテレビの前にみんな集まり一喜一憂し、大晦日の晩、一家団欒《いっかだんらん》で紅白を見る。そんなテレビの本来の楽しみ方をしてもらうためにも、作り手がこの気持ちを忘れてはいけない。

私たちはいつも、テレビの前で大笑いする家族を想像しながら番組を作っているのだ。

著者の樋口さんは舞台の稽古中、毎日のように稽古場にやってきた。

それは原作者でも、放送作家でもなく、差し入れを持ってくるおじさんとしてだ。

デパ地下や築地市場で見つけた腹にたまる美味しいもの。挙げ句の果てには手作りハンバーガー、シチュー、カレーも登場した。

修治が言った「みんなで食べると人数分、味も美味しくなるんです」を役者、スタッフ全員が味わえたのだ。

「毎回、探したり作ったり大変でしょう」と私が言うと、樋口さんは「余命半年で妻の結婚相手を探すのに比べれば全く大変じゃないです」と答えた。

『ボク妻』とはそんな男が書いた死笑説なのだ。

先に書いたように私とこの作品の出会いは事務所に送られてきたゲラ稿だった。

それが本になり、舞台になり、今度はドラマにもなる。

そして私と木村多江さんはまたドラマで夫婦を演じる。奇跡的に。

修治と彩子の愛の物語。修治と彩子と陽一郎の家族の物語。そのどの部分にも「愛」と「楽しさ」が満ちあふれている。修治の強さに敬意を払い、力一杯、「ボクの妻」の結婚相手を探そうと思う。もうすぐ、ドラマの撮影が始まる。

二〇一四年一二月

本書は、二〇一二年一一月に、
小社より単行本として刊行されたものです。

|著者|樋口卓治　1964年、北海道生まれ。放送作家として「笑っていいとも！」「Qさま!!」「お願い！　ランキング」「ブラマヨとゆかいな仲間たち　アツアツっ！」「中居正広のミになる図書館」「ぴったんこカン★カン」「中居正広の金曜日のスマたちへ」「ヨルタモリ」「久保みねヒャダこじらせナイト」「ここがポイント!!池上彰解説塾」「林修の今でしょ！講座」「関ジャニの仕分け∞」などを担当し、2012年、本作で小説家デビュー。他の著作に『もう一度、お父さんと呼んでくれ。』『天国マイレージ』（講談社）がある。

ボクの妻《つま》と結婚《けつこん》してください。

樋口卓治《ひぐちたくじ》

2015年2月13日第1刷発行
2016年7月7日第9刷発行

発行者──鈴木　哲

発行所──株式会社　講談社

東京都文京区音羽2-12-21　〒112-8001

電話　出版（03）5395-3510
　　　販売（03）5395-5817
　　　業務（03）5395-3615

Printed in Japan

講談社文庫

定価はカバーに
表示してあります

デザイン—菊地信義

本文データ制作—講談社デジタル製作

印刷———凸版印刷株式会社

製本———株式会社国宝社

ISBN978-4-06-293043-7

講談社文庫刊行の辞

二十一世紀の到来を目睫に望みながら、われわれはいま、人類史上かつて例を見ない巨大な転換期をむかえようとしている。

世界も、日本も、激動の予兆に対する期待とおののきを内に蔵して、未知の時代に歩み入ろうとしている。このときにあたり、創業の人野間清治の「ナショナル・エデュケイター」への志を現代に甦らせようと意図して、われわれはここに古今の文芸作品はいうまでもなく、ひろく人文・社会・自然の諸科学から東西の名著を網羅する、新しい綜合文庫の発刊を決意した。

激動の転換期はまた断絶の時代である。われわれは戦後二十五年間の出版文化のありかたへの深い反省をこめて、この断絶の時代にあえて人間的な持続を求めようとする。いたずらに浮薄な商業主義のあだ花を追い求めることなく、長期にわたって良書に生命をあたえようとつとめるところにしか、今後の出版文化の真の繁栄はあり得ないと信じるからである。

同時にわれわれはこの綜合文庫の刊行を通じて、人文・社会・自然の諸科学が、結局人間の学にほかならないことを立証しようと願っている。かつて知識とは、「汝自身を知る」ことにつきていた。現代社会の瑣末な情報の氾濫のなかから、力強い知識の源泉を掘り起し、技術文明のただなかに、生きた人間の姿を復活させること。それこそわれわれの切なる希求である。

われわれは権威に盲従せず、俗流に媚びることなく、渾然一体となって日本の「草の根」をかたちづくる若く新しい世代の人々に、心をこめてこの新しい綜合文庫をおくり届けたい。それは知識の泉であるとともに感受性のふるさとであり、もっとも有機的に組織され、社会に開かれた万人のための大学をめざしている。大方の支援と協力を衷心より切望してやまない。

一九七一年七月

野間省一

平谷美樹　藪の奥〈眠る義経秘宝〉
平谷美樹　居留地同心・凌之介秘帳 小倫敦の幽霊
蛭田亜紗子　人肌ショコラリキュール
樋口卓治　ボクの妻と結婚してください。
樋口卓治　もう一度、お父さんと呼んでくれ。
藤沢周平　新装版 春秋の檻〈獄医立花登手控え(一)〉
藤沢周平　新装版 風雪の檻〈獄医立花登手控え(二)〉
藤沢周平　新装版 愛憎の檻〈獄医立花登手控え(三)〉
藤沢周平　新装版 人間の檻〈獄医立花登手控え(四)〉
藤沢周平　新装版 闇の歯車
藤沢周平　新装版 市塵(上)(下)
藤沢周平　新装版 決闘の辻
藤沢周平　新装版 雪明かり
藤沢周平　義民が駆ける〈レジェンド歴史時代小説〉
古井由吉　野川
福永令三　クレヨン王国の十二か月
船戸与一　山猫の夏
船戸与一　神話の果て
船戸与一　伝説なき地
船戸与一　血と夢
船戸与一　蝶舞う館
船戸与一　夜《イエ》来《ライ》香《シャン》海峡
深谷忠記　黙秘
藤田宜永　樹下の想い
藤田宜永　艶《つや》めき
藤田宜永　異端の夏
藤田宜永　流砂
藤田宜永　子宮の記憶〈ここにあなたがいる〉
藤田宜永　乱調
藤田宜永　壁画修復師
藤田宜永　前夜のものがたり
藤田宜永　戦力外通告
藤田宜永　いつかは恋を
藤田宜永　喜の行列 悲の行列(上)(下)
藤田宜永　老猿
藤川桂介　シギラの月
藤水名子　赤壁の宴
藤水名子　紅嵐記(上)(中)(下)
藤原伊織　テロリストのパラソル
藤原伊織　ひまわりの祝祭
藤原伊織　雪が降る
藤原伊織　蚊トンボ白鬚の冒険(上)(下)
藤原伊織　遊戯
藤田紘一郎　笑うカイチュウ
藤田紘一郎　体にいい寄生虫〈ダイエットから花粉症まで〉
藤田紘一郎　踊る腹のムシ〈グルメブームの落とし穴〉
藤田紘一郎　ウッふん
藤田紘一郎　イヌからネコから伝染《うつ》るんです。
藤田紘一郎　医療大崩壊
藤本ひとみ　聖ヨゼフの惨劇
藤本ひとみ　新・三銃士 少年編・青年編〈ダルタニャンとミラディ〉
藤本ひとみ　シャネル
藤本ひとみ　皇妃エリザベート
藤野千夜　少年と少女のポルカ
藤野千夜　夏の約束
藤野千夜　彼女の部屋
藤沢周　紫の領分

講談社文庫　目録

講談社文庫　目録

三浦綾子　イエス・キリストの生涯
三浦綾子　あのポプラの上が空
三浦綾子　小さな一歩から
三浦綾子　増補決定版 言葉の花束〈愛といのちの792章〉
三浦綾子　愛すること信ずること
三浦光世
三浦綾子　愛に遠くあれど〈夫と妻の対話〉
三浦明博　死《し》水《すい》
三浦明博　サーカス市場
三浦明博　感染広告
三浦明博　滅びのモノクローム
宮尾登美子　新装版天璋院篤姫(上)(下)
宮尾登美子　新装版　一絃の琴
宮尾登美子　東福門院和子《まさこ》の涙(上)(下)〈レジェンド歴史時代小説〉
皆川博子　冬の旅人(上)(下)
宮崎康平　新装版 まぼろしの邪馬台国 第1部・第2部
宮本　輝　ひとたびはポプラに臥す1〜6
宮本　輝　骸骨ビルの庭(上)(下)
宮本　輝　新装版二十歳《はたち》の火影《ほかげ》
宮本　輝　新装版命の器
宮本　輝　新装版 避暑地の猫
宮本　輝　新装版 ここに地終わり 海始まる(上)(下)
宮本　輝　新装版 花の降る午後(上)(下)
宮本　輝　新装版 オレンジの壺(上)(下)
宮本　輝　にぎやかな天地(上)(下)
宮本　輝　新装版 朝の歓び(上)(下)
峰　隆一郎　寝台特急「さくら」死者の罠
宮城谷昌光　俠骨記
宮城谷昌光　夏姫春秋(上)(下)
宮城谷昌光　花の歳月
宮城谷昌光　重《ちょう》耳《じ》(全三冊)
宮城谷昌光　春秋の色
宮城谷昌光　介《かい》子《し》推《すい》
宮城谷昌光　孟嘗君 全五冊
宮城谷昌光　春秋の名君
宮城谷昌光　子産(上)(下)
宮城谷昌光他　異色中国短篇傑作大全
宮城谷昌光　湖底の城〈呉越春秋〉一
宮城谷昌光　湖底の城〈呉越春秋〉二
宮城谷昌光　湖底の城〈呉越春秋〉三
宮城谷昌光　湖底の城〈呉越春秋〉四
水木しげる　コミック昭和史1〈関東大震災〜満州事変〉
水木しげる　コミック昭和史2〈満州事変〜日中全面戦争〉
水木しげる　コミック昭和史3〈日中全面戦争〜太平洋戦争開始〉
水木しげる　コミック昭和史4〈太平洋戦争前半〉
水木しげる　コミック昭和史5〈太平洋戦争後半〉
水木しげる　コミック昭和史6〈終戦から朝鮮戦争〉
水木しげる　コミック昭和史7〈講和から復興〉
水木しげる　コミック昭和史8〈高度成長以降〉
水木しげる　総員玉砕せよ！
水木しげる　敗走記
水木しげる　白い旗
水木しげる　姑《クー》娘《ニャン》
水木しげる　決定版 日本妖怪大全〈妖怪・あの世・神様〉
水木しげる　ほんまにオレはアホやろか
宮脇俊三　古代史紀行
宮脇俊三　平安鎌倉史紀行
宮脇俊三　室町戦国史紀行

2016年6月15日現在